CHRONIQUES CONJUGALES

Catalogage avant publication de Bibliothèque
et Archives nationales du Québec et Bibliothèque
et Archives Canada

Dallaire, Yvon
        Chroniques conjugales : pour tous les couples qui
s'aiment et qui veulent continuer de s'aimer
        (Collection Psychologie)
        ISBN 978-2-7640-1568-1
    1. Couples. 2. Amour. 3. Relations entre hommes et
femmes. I. Titre. II. Collection : Collection Psychologie
(Éditions Quebecor)
HQ801.D342 2010   306.81   C2010-940153-0

© 2010, Les Éditions Quebecor
Une compagnie de Quebecor Media
7, chemin Bates
Montréal (Québec) Canada
H2V 4V7

Dépôt légal : 2010
Bibliothèque et Archives nationales du Québec

Pour en savoir davantage sur nos publications,
visitez notre site : www.quebecoreditions.com

Éditeur : Jacques Simard
Conception de la couverture : Bernard Langlois
Illustration de la couverture : Veer
Conception graphique : Sandra Laforest
Infographie : Claude Bergeron

Imprimé au Canada

Gouvernement du Québec – Programme de crédit d'impôt pour l'édition
de livres – Gestion SODEC.

L'Éditeur bénéficie du soutien de la Société de développement des entre-
prises culturelles du Québec pour son programme d'édition.

Nous reconnaissons l'aide financière du gouvernement du Canada par
l'entremise du Programme d'aide au développement de l'industrie de
l'édition (PADIÉ) pour nos activités d'édition.

DISTRIBUTEURS EXCLUSIFS :

• Pour le Canada et les États-Unis :
MESSAGERIES ADP*
2315, rue de la Province
Longueuil, Québec J4G 1G4
Tél. : (450) 640-1237
Télécopieur : (450) 674-6237
* une division du Groupe Sogides inc.,
filiale du Groupe Livre Quebecor Média inc.

• Pour la France et les autres pays :
INTERFORUM editis
Immeuble Paryseine, 3, Allée de la Seine
94854 Ivry CEDEX
Tél. : 33 (0) 4 49 59 11 56/91
Télécopieur : 33 (0) 1 49 59 11 33
Service commande France
Métropolitaine
Tél. : 33 (0) 2 38 32 71 00
Télécopieur : 33 (0) 2 38 32 71 28
Internet : www.interforum.fr

Service commandes Export –
DOM-TOM
Télécopieur : 33 (0) 2 38 32 78 86
Internet : www.interforum.fr
Courriel : cdes-export@interforum.fr

• Pour la Suisse :
INTERFORUM editis SUISSE
Case postale 69 – CH 1701 Fribourg –
Suisse
Tél. : 41 (0) 26 460 80 60
Télécopieur : 41 (0) 26 460 80 68
Internet : www.interforumsuisse.ch
Courriel : office@interforumsuisse.ch

Distributeur : OLF S.A.
ZI. 3, Corminboeuf
Case postale 1061 – CH 1701 Fribourg –
Suisse

Commandes : Tél. : 41 (0) 26 467
53 33
Télécopieur : 41 (0) 26 467 54 66
Internet : www.olf.ch
Courriel : information@olf.ch

• Pour la Belgique et le Luxembourg :
INTERFORUM BENELUX S.A.
Fond Jean-Pâques, 6
B-1348 Louvain-La-Neuve
Tél. : 00 32 10 42 03 20
Télécopieur : 00 32 10 41 20 24

Yvon Dallaire

psychologue

CHRONIQUES CONJUGALES

Pour tous les couples
qui s'aiment et qui veulent
continuer de s'aimer

LES ÉDITIONS
Quebecor

Une compagnie de Quebecor Media

Du même auteur

Aux Éditions Option Santé

Qui sont ces femmes heureuses en amour ?

Qui sont ces couples heureux ?

Moi aussi… Moi… plus

La violence faite aux hommes

Homme et fier de l'être

Pour que le sexe ne meure pas

Chéri, parle-moi !

S'aimer longtemps ?

Aux Éditions Jouvence

Les illusions de l'infidélité

Cartographie d'une dispute de couple

La sexualité de l'homme après 50 ans

Guérir d'un chagrin d'amour

Aux Éditions Bayard Canada / Société Radio-Canada

La planète des hommes
(Ouvrage collectif supervisé par Mario Proulx)

Remerciements

Je tiens à remercier M. Éric-Yvan Lemay, adjoint au directeur de l'information, qui m'a donné la possibilité d'écrire une chronique sur le couple à chaque semaine dans le *Journal de Montréal* et le *Journal de Québec*. J'ai ainsi pu partager avec un plus grand nombre d'hommes et de femmes tout ce que j'ai pu apprendre de mes clients en trente ans de thérapie conjugale.

Je remercie également Renée, ma compagne de vie depuis 1982, qui, chaque dimanche matin, me laissait une ou deux heures pour la préparation de chacune de ces chroniques et qui me prodiguait parfois des conseils judicieux sur les thèmes à aborder.

Merci aussi à M. Jacques Simard et à toute son équipe des Éditions Quebecor d'avoir accepté de rassembler ces chroniques dans un livre.

À toutes les femmes et à tous les hommes
qui aspirent au bonheur conjugal !

Introduction*

Ces cinquante-deux chroniques ont à l'origine été publiées chaque dimanche dans le *Journal de Montréal* et le *Journal de Québec*, dans la section «Couple», entre le 22 juin 2008 et le 14 juin 2009. C'est la réaction positive du public qui m'a encouragé à les réunir dans ce recueil. Ces chroniques sont présentées dans l'ordre de publication. Certaines se suivent, d'autres sont un reflet de l'actualité du moment. Toutes exposent la réalité du couple tel qu'il se vit au quotidien, et non le couple idéal espéré de tout un chacun.

Malgré les difficultés de la vie à deux, le couple constitue toujours le meilleur style de vie et la meilleure stratégie pour augmenter les probabilités de bonheur à long terme. Tous les couples sont heureux pendant les périodes de séduction et de la lune de miel, soit de quelques mois à tout au plus deux ou trois ans. C'est après que les choses se corsent, au moment où les deux partenaires commencent à se montrer sous leur vrai jour et que les responsabilités familiales, professionnelles, financières et autres deviennent de plus en plus lourdes.

Certains couples savent toutefois rester heureux à long terme: ils ont appris à mieux gérer les crises et les conflits inévitables de la vie conjugale. Pourquoi réussissent-ils là où la majorité échoue? En quoi sont-ils différents des couples malheureux ou de ceux qui divorcent? Que font-ils que les couples malheureux ne font pas?

---

* Dans ce livre, la forme masculine a été utilisée dans le seul but d'alléger le texte et ne se veut nullement discriminatoire.

Différentes recherches ont découvert que les membres des couples heureux manifestent des attitudes et des aptitudes qui font cruellement défaut à ceux qui, d'amants intimes, deviennent rapidement ennemis intimes. Deux ennemis qui s'endureront toute leur vie ou finiront par divorcer pour recommencer, avec un nouveau partenaire, le même scénario destructeur : séduction, fusion, compétition et séparation. Les couples heureux, quant à eux, réussissent à éviter, non sans de nombreuses confrontations, les pièges dans lesquels se retrouvent ceux qui divorcent ou qui se résignent.

Heureux ou malheureux, tous les couples traversent des moments critiques identiques et font face aux mêmes sources de conflits, souvent insolubles. Toutefois, à l'amour et à la bonne foi du début, les partenaires heureux ont su perdre leurs illusions adolescentes pour acquérir les connaissances et faire les efforts nécessaires afin de transformer leur relation en un lieu de croissance personnelle, conjugale et familiale.

J'espère que la lecture de ces différentes chroniques vous aidera à mieux comprendre les enjeux de la vie à deux et vous permettra d'acquérir les outils indispensables à votre épanouissement conjugal et, conséquemment, personnel. N'oublions jamais que le couple, formé de l'union de deux individus, constitue la base de notre société.

 Ainsi va le couple, ainsi va la société.

Chronique 1

Le couple va mal !

Le couple va mal, très mal, particulièrement au Québec. De 5 % en 1890, le taux de divorce est passé à 18 % en 1920 et à 30 % en 1950. Pour les couples mariés durant les années 1970, le taux s'élève à près de 50 %. Si la tendance se maintient, seuls 3 couples sur 10 mariés depuis 1990 le resteront à vie.

Les facteurs à l'origine de l'augmentation du taux des divorces sont multiples ; parmi les plus importants, on note l'espérance de vie (qui est passée de cinquante ans à plus de quatre-vingts ans en un siècle) et la méconnaissance de la psychologie des deux sexes et des dynamiques conjugales. La baisse de la pratique religieuse, la découverte de la pilule et la révolution sexuelle du mouvement hippie des années 1970 ont amené un relâchement des mœurs et des lois plus permissives sur le divorce. Enfin, la culture du moi (ou ego.com[1]), la philosophie du «ici et maintenant», la culture des loisirs à tout prix, la société de consommation et du «jeter après usage» ont aussi entraîné les divorces à la hausse.

L'émancipation féminine, favorisée par une plus grande autono-mie financière des femmes, semble toutefois être l'élément majeur de l'augmentation du taux de divorce : aujourd'hui, elles n'accep-tent plus, avec raison, de vivre des situations que leurs grands-

---

1. Ego.com : expression retenue par l'animatrice Marie-France Bazzo à la suite d'un appel à tous afin de trouver une appellation décrivant la génération moderne.

mères n'avaient pas le choix d'endurer à cause de leur dépendance financière.

Les hommes et les femmes divorcent parce qu'ils ne se sentent pas heureux en mariage ou parce qu'ils ne réussissent pas à se développer sur le plan personnel. Et les femmes, plus que les hommes, ont l'impression que les liens du mariage les transforment et les étouffent, leurs plus grandes attentes n'étant pas satisfaites.

Et pourtant...

Malgré les difficultés de la vie à deux, le couple demeure toujours le meilleur style de vie et la meilleure garantie de bonheur à long terme. Les gens mariés et heureux ont une espérance de vie augmentée de quatre ans et sont 35 % moins souvent malades que les célibataires. Les enfants de mariage stable sont mieux adaptés et réussissent mieux à l'école. Le taux de suicide des célibataires, particulièrement chez les hommes, est jusqu'à dix fois supérieur à celui des hommes mariés. Ce qui ne veut pas dire que des célibataires ne peuvent pas être heureux, mais il semble que cela soit plus difficile.

 Les Québécois se marient très peu, mais ils sont les champions mondiaux de la cohabitation.

Pour former une relation amoureuse à long terme, il faut non seulement de l'attirance physique, mais aussi de l'admiration pour la personne que nous découvrons dans le corps qui nous attire. L'amour est l'objectif du couple : c'est ce qui remplace la passion, laquelle ne peut que s'émousser avec le temps. Un couple constitue un plan de vie qui nous permet de satisfaire de nombreux besoins : aimer, être aimé, communication, chaleur humaine, soutien émotif et moral, sentiment d'appartenance, sexualité et complicité dans les épreuves de la vie. Le couple sert aussi à réaliser des projets tels que la famille, la constitution d'un patrimoine, la réalisation professionnelle, la vie sociale et une retraite heureuse.

Encore faudrait-il apprendre à aimer la personne avec laquelle on s'investit et oser se débarrasser de toutes les illusions sur le couple, illusions qui rendent la vie conjugale infernale parce qu'impossibles à réaliser!

Le taux de nuptialité selon certains pays

Pays	Taux de mariage par 1000 habitants	Pourcentage des unions de fait
Québec	2,9	29,8 %
Canada	4,7	16,0 %
France	4,2	17,5 %
États-Unis	7,4	8,2 %

Source: Bureaux de la statistique des pays concernés

Chronique 2

Amour ou passion ?

Pour la majorité des gens, amour égale passion. Pourtant, il existe un monde de différences entre le sentiment amoureux et la fusion passionnelle. Quoiqu'un grand nombre de relations amoureuses puissent être basées sur une attirance passionnelle, la passion ne suffit pas à garantir le succès d'un couple, loin de là.

La passion

La passion est une émotion violente, puissante, envahissante qui cherche à dominer la raison. Elle correspond à une véritable perte de contrôle rationnel sur nos sensations, nos émotions et nos comportements, d'où les expressions : «tomber amoureux» ou «coup de foudre». En présence de l'être désiré, nous flottons ; son absence ou la peur de le perdre nous font paniquer. Nous avons hâte de retrouver la source de tant d'intensité et nous espérons que cet état durera toujours.

Les neurobiologistes ont démontré que notre corps sécrète des phéromones qui stimulent la production de différentes hormones dans notre cerveau lorsque nous rencontrons une personne dont l'odeur nous fait vibrer. Le nez constitue donc notre premier organe sexuel. En fait, nous ne sommes pas amoureux de l'être désiré, nous sommes «drogué» par les sensations que nous éprouvons en sa présence. Advenant une rupture, nous éprouvons les mêmes symptômes qu'un héroïnomane en manque.

La passion étant une émotion intense mais passagère, les passionnés sont toujours à la recherche d'une nouvelle âme sœur qui leur donnera l'impression de vivre réellement. Mais, inconsciemment, ils sont sous le contrôle de leurs hormones. N'oublions pas que le mot «passion» vient du verbe latin *pati* signifiant souffrir.

Les symptômes de la passion

1. Obsessions incontrôlables
2. Minimisation des défauts de l'être désiré
3. Panique devant la perte de l'être désiré
4. Émotions en montagnes russes
5. Peur de déplaire à l'autre

L'amour

C'est la passion, et non l'amour, qui est aveugle ; heureusement, la vie à deux rend la vue, et parfois brutalement. C'est d'ailleurs la première crise dans l'évolution d'un couple : la découverte de qui est réellement la personne qui a suscité en nous autant de sensations, d'émotions et de rêves. En fait, l'amour, c'est ce qui se développe, ou non, au fur et à mesure que la passion… passe, au fur et à mesure que nous connaissons l'être désiré. *L'amour est l'objectif du couple, non sa base.*

 N'épouse pas la personne que tu aimes.
Aime la personne que tu as épousée.

Proverbe arabe

Bien qu'il soit basé également sur l'attirance physique, l'amour est un sentiment dans lequel la raison intervient davantage. Ce sentiment est beaucoup plus doux que la passion ; il englobe la tendresse, l'admiration, l'amitié et la réalisation de projets communs à long terme. Alors que la passion crée la dépendance, l'amour crée l'attachement, soit un sentiment d'affection et de sympathie. Deux personnes qui s'aiment se regardent, mais elles regardent aussi dans la même direction.

Les membres des couples heureux à long terme ont pris le temps, avant de s'engager, de vérifier s'ils sont appropriés et compatibles. Partagent-ils la même philosophie de vie? Ont-ils les mêmes principes d'éducation? Les mêmes attitudes face à l'argent? Leurs sexualités sont-elles synchronisées? Toutefois, ils ne partent pas du principe qu'ils vont nécessairement être d'accord parce qu'ils s'attirent et s'aiment.

La stabilité, plutôt que l'intensité, et la connaissance, plutôt que l'inconscience, sont les deux caractéristiques d'un véritable engagement amoureux. Mais, objecteront les passionnés, qu'est-ce que l'amour sans passion? Le problème est que la passion dure rarement plus d'un à deux ans. La fusion – illusoire à long terme – est l'objectif des passionnés; c'est pourquoi ils vont généralement de partenaire en partenaire. La réalisation de soi et de l'autre est l'objectif ultime des amoureux.

L'amour véritable

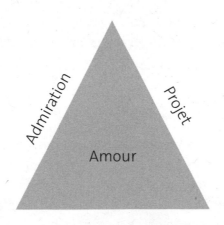

La femme : un être de relation

Je demande systématiquement à toutes les femmes qui viennent me consulter : «Que feriez-vous si vous appreniez qu'il ne vous reste qu'un an à vivre?» Et j'obtiens presque invariablement la réponse suivante : «Je me rapprocherais des gens que j'aime.»

Plusieurs enquêtes ont démontré que les priorités des femmes tournent autour de la famille et des amis, la carrière ne venant qu'en troisième place, sauf pour quelques-unes, généralement les plus jeunes ou celles dont les enfants devenus grands ont quitté la maison. D'autres recherches ont aussi établi que même au travail, la dimension relationnelle prime. Est-ce un préjugé, un stéréotype, un conditionnement social ou une réalité physiologiquement fondée? Les tenants de l'approche culturelle y voient un cliché sexiste et les évolutionnistes, de simples différences inscrites dans la nature de la femme.

Le corps de la femme

En fait, tout, dans son corps et son cerveau, tendrait à donner raison aux tenants de l'approche biologique. La mère vit une relation symbiotique de neuf mois avec son fœtus. Cette fusion est souvent entretenue par l'allaitement maternel pendant de nombreux mois supplémentaires. Aviez-vous remarqué qu'il n'y a qu'une voyelle de différence entre les mots «sein» et «soin», un «e» que l'on a arrondi?

Le corps de la femme est ainsi construit pour nourrir l'autre, pour nourrir la vie, d'où l'expression de mère nourricière.

Le cerveau de la femme

Des études récentes sur le cerveau vont dans le même sens. Quoiqu'il possède les mêmes structures, le cerveau des femmes s'est développé un tantinet différemment de celui de son partenaire. Ces différences ont été démontrées à l'aide du scanneur, de l'imagerie à résonance magnétique (IRM), de la dissection de cerveaux de cadavres, de l'observation des conséquences des traumas cérébraux et des conséquences des malformations génétiques. Le déchiffrage de l'ADN devrait prouver aussi non pas la supériorité d'un sexe sur l'autre, mais plutôt *certaines spécificités liées au sexe*[2].

Le cerveau de la femme pèse en moyenne de 100 grammes à 125 grammes de moins que celui de l'homme, mais sa densité plus forte compense cette différence. Ses deux hémisphères sont plus égaux. Par contre, son corps calleux, bande médullaire blanche qui relie les quatre lobes du cerveau, est 40 % plus développé chez la femme. C'est lui qui assure le transfert des informations entre les deux hémisphères. De plus, les neurones cérébraux féminins possèdent de 11 % à 13 % plus de neuro-poils ou dendrites facilitant ainsi le transfert de plus d'informations d'un neurone à l'autre et du cerveau gauche – décrit comme le cerveau rationnel et centre de la parole – au cerveau droit – décrit comme le centre des émotions.

Les comportements féminins

Quelles sont les répercussions comportementales de ces différences ? Elles sont nombreuses et faciles à vérifier : une meilleure mémoire, une plus grande facilité à trouver les mots pour exprimer ses émotions, une grande intuition, un cerveau capable de remplir plusieurs tâches en même temps et une plus grande empathie. Son cerveau,

---

2. Pour en savoir davantage sur les spécificités féminines : L. Brizendine, *Les secrets du cerveau féminin*, Paris, Grasset, 2008.

mieux équilibré, lui permet également et en même temps une approche plus globale de la vie et la capacité de mieux percevoir les détails et les nuances. Il en fait ainsi un être doué pour le langage et les relations sociales. C'est pourquoi les femmes ont tendance à choisir des professions axées sur la relation d'aide et qu'elles font, dans ce domaine, de meilleures intervenantes.

Que son corps et son cerveau soient mieux dotés pour la communication et la relation ne fait pas de la femme un être inférieur ou supérieur à l'homme : cela n'en fait qu'un être humain légèrement différent, ce qui ne veut pas dire que l'homme ne puisse pas, lui aussi, devenir un être de relation et la femme, un être d'action.

Le corps féminin

23 % en muscles
25 % en tissu adipeux (bassin)
Organes génitaux réceptifs
Olfaction de deux à dix fois supérieure
Production cyclique d'hormones

Le cerveau féminin

Deux hémisphères égaux
Plus dense que celui de l'homme
Plus léger de 125 grammes
Corps calleux : 40 % plus développé
13 % plus de neuro-poils

Chronique 4

L'homme : un être d'action

Je demande systématiquement à tous les hommes qui viennent me consulter : « Que feriez-vous si vous appreniez qu'il ne vous reste qu'un an à vivre ? » Et j'obtiens presque invariablement la réponse suivante : « Je quitte mon travail et je pars en voyage. »

Les priorités des hommes tournent autour du faire plutôt que de l'être ; pour la majorité, la carrière est leur priorité. Même au travail, les résultats priment sur la dimension relationnelle, d'où le climat de compétition que l'on trouve généralement entre eux. Est-ce un préjugé, un stéréotype, un conditionnement social ou une réalité biologiquement fondée ? Les tenants de l'approche culturelle y voient un cliché sexiste qu'il faut combattre et les évolutionnistes, de simples différences inscrites dans la nature de l'homme, nature qui pourrait changer avec le cours de l'évolution.

Le corps de l'homme

Le corps de l'homme est constitué de 40 % de muscles (la femme, 23 %), d'où l'expression du « sexe fort ». Il est plus grand, court plus vite, vise mieux, voit plus loin et possède un meilleur sens de l'orientation. Ces habiletés physiques lui ont permis d'assurer la survie de l'humanité contre tous les prédateurs d'antan, alors que nous étions encore nomades. Ou est-ce plutôt son style de vie qui a obligé l'homme à acquérir ces habiletés ? Peu importe, elles sont là aujourd'hui.

De tout temps, l'homme a été un chasseur pourvoyeur de nour-riture et un guerrier protégeant son territoire. Son objectif : assurer sa propre survie physique ainsi que celle des membres de son groupe. L'homme pense à lui avant de penser aux autres. On le traite souvent d'égoïste à cause de cela, mais son égoïsme est altruiste car il a appris que de sa survie dépendait la survie des gens qui l'entourent. C'est pourquoi il met sa force, musculaire et intel-lectuelle, au service de l'humanité.

Le cerveau de l'homme

Quoiqu'il possède les mêmes structures, le cerveau des hommes s'est développé un tantinet différemment de celui de sa partenaire, démontrant ainsi certaines spécificités liées au sexe. La principale différence se trouve dans l'hypothalamus dont quelques parties sont deux à dix fois plus développées que chez la femme. Cette région du cerveau est responsable des comportements que les psy-chologues appellent les 4A : agressivité, alimentation, activité sexuelle et accès de fuite.

Les comportements masculins

Nul besoin de longues observations pour se rendre compte que les garçons et les hommes sont plus agressifs. Agressif, non dans le sens de violence, mais dans son sens réel d'«aller vers» (*ad gressere*, en latin). Aller vers la satisfaction de ses besoins, aller au-delà de ses limites (sports extrêmes), aller à la découverte du monde (d'où le goût de l'aventure et des voyages), aller toujours plus haut, plus loin, plus vite (Jeux olympiques)… aller à la rencontre de l'autre.

Encore aujourd'hui, comme au temps des chasseurs, l'homme met l'accent sur la survie alimentaire et sur le bien-être physique en ramenant le plus gros chèque de paye possible à la maison.

Grâce à son hypothalamus et à sa testostérone, hormone typique-ment masculine, l'homme possède une libido plus élevée. Quelle femme n'a jamais dit à son partenaire : «Tu ne penses qu'au sexe ! »

En fait, il sécrète de dix à cent fois plus de carburant sexuel que sa partenaire.

Finalement, devant un danger dont il ne peut contrôler la source, l'homme a tendance à fuir, à s'enfermer dans le silence ou à s'éloigner physiquement. Si l'argumentation ne vient pas à bout de la source de stress, il s'éloigne de cette dernière.

Que son corps et son cerveau soient mieux dotés pour l'action ne fait pas de l'homme un être inférieur ou supérieur à la femme : cela n'en fait qu'un être humain légèrement différent, ce qui ne veut pas dire que la femme ne puisse pas, elle aussi, devenir un être d'action. Ces différences, dans les couples heureux, sont utilisées de façon complémentaire et non opposée.

Le corps masculin

40 % en muscles
15 % en tissu adipeux (ventre)
Organes génitaux intrusifs
Vision diurne plus grande
Dix à cent fois plus de testostérone

Le cerveau masculin

Deux hémisphères inégaux
Plus gros de 125 grammes
Hypothalamus plus développé
Corps calleux : 40 % plus petit
16 % plus de neurones

Le couple : un organisme vivant

« Il la réveilla d'un baiser, elle le trouva charmant ; ils se marièrent, eurent deux enfants et vécurent heureux. » Si cette phrase correspondait à la réalité, cette chronique n'aurait pas lieu d'être. La réalité du couple est plus complexe que ce que l'on nous a raconté.

La séduction et après

Après la lune de miel, phase passionnelle du couple qui ne dure qu'au maximum deux à trois ans, vient un moment où la femme, être de relation par excellence, entre en conflit avec son homme, être priorisant davantage l'action. Le couple, contrairement aux contes de fées et aux films hollywoodiens, n'est pas une garantie de bonheur à 100 %, mais plutôt un creuset pour de nombreux conflits et plusieurs moments critiques. Seuls ceux et celles qui sauront en faire des moments de croissance personnelle survivront et pourront aspirer au bonheur. Les autres se résigneront à une lutte sans fin ou iront de couple en couple répétant le même scénario : séduction – passion – confrontation – séparation.

Personne n'est réellement préparé à la vie à deux : c'est en couple que l'on se rend compte de la réalité de celui-ci. Et n'allez surtout pas croire que c'est plus facile pour le couple d'à côté. Tous passent par les mêmes étapes et sont confrontés aux mêmes difficultés. Ce qui se passe dans votre chambre à coucher et votre cuisine se passe partout ailleurs.

Dans la conception traditionnelle du couple, les deux personnes ne forment plus qu'*un*. J'appelle fusionnel ce type de couple où « un + un = un ». Selon la force de caractère de chacun, c'est tantôt l'homme qui impose ses valeurs (couple patrifocal), tantôt la femme (couple matrifocal).

Le couple patrifocal   **Le couple matrifocal**

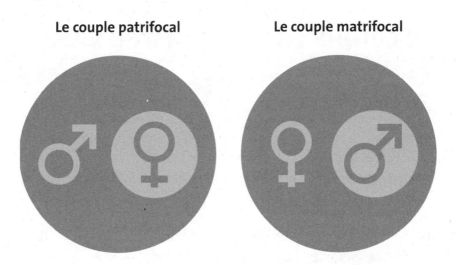

Le couple d'aujourd'hui constitue davantage une association entre deux personnes qu'une unité en soi. Chacun veut bien vivre en couple, mais personne ne veut abdiquer sa liberté. Chacun veut bien s'engager, mais personne n'accepte d'être envahi. La structure conjugale devient donc trinitaire : « un + un = trois. »

Le couple, deux forces à équilibrer

D'un côté du lit, un homme et de l'autre, une femme. Chacun avec ses besoins respectifs et ses priorités. Le lit restera-t-il un terrain de jeux et de repos ? Ou deviendra-t-il une arène de lutte ? Comment gérer une association si chacun veut imposer ses besoins selon ses priorités ?

À la base de tout couple existent deux forces opposées et complémentaires : le désir de fusion (relation et communication) et le désir d'autonomie (liberté d'action), deux besoins humains inégalement répartis entre les deux partenaires.

Les couples heureux, formés de deux personnes plus autonomes que fusionnelles, réussissent à établir un équilibre mouvant entre ces deux forces. Les couples malheureux n'y parviennent pas et se retrouvent avec un déséquilibre permanent où l'un devient dépendant et l'autre, contre-dépendant. Il semble paradoxal de dire que le contre-dépendant est fusionnel, puisqu'il semble s'opposer au désir de rapprochement intime du dépendant. Toutefois, il faut comprendre que la fusion est une tentative d'amener l'autre à agir tel qu'on le veut. Le dépendant est en attente d'une plus grande présence de son partenaire ; le contre-dépendant, quant à lui, étouffe de plus en plus dans cette relation car son besoin de fusion a diminué avec le temps et voudrait, par conséquent, plus d'espace que de présence.

Le paradoxe de la passion

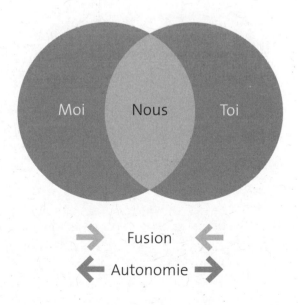

27

La juste distance

Le défi de l'organisme conjugal réside dans l'établissement d'une juste distance permettant aux deux personnes de satisfaire à la fois leur besoin d'intimité et leur besoin d'autonomie. Ceux-ci s'expriment différemment selon le sexe : la jeune femme désire davantage de fusion émotive là où le jeune homme désire plus de fusion sexuelle. Ils évoluent aussi avec le temps, la femme devenant plus autonome et l'homme plus émotif avec l'âge.

Les cinq étapes du couple

Tout couple évolue selon cinq étapes bien analysées par les psychologues : la lune de miel, la lutte pour le pouvoir, le partage du pouvoir, l'engagement et l'ouverture sur autrui. Quoique ces étapes arrivent dans cet ordre, elles sont loin d'être chronologiquement tranchées au couteau : elles se superposent et s'influencent les unes les autres.

La lune de miel

Pendant la période de séduction, nul n'est assuré de la relation. C'est pourquoi hommes et femmes se présentent sous leur plus beau jour. L'homme n'est jamais aussi attentif et communicatif et la femme n'est jamais aussi admirative et réceptive. En même temps, les deux ont tendance à auréoler la personne qu'ils convoitent. Ils passent des heures et des heures à bavarder, à faire et à refaire l'amour, tout en élaborant des projets de vie. Ils pensent que l'*Amour* leur permettra de surmonter toutes les difficultés. C'est la phase que l'on voudrait faire durer toujours. Toutefois, cette passion intense fait lentement place à un bonheur plus tranquille, plus réaliste : les amoureux dorment maintenant en paix, en silence, dans les bras l'un de l'autre, tout en réalisant leurs projets.

La lutte pour le pouvoir

On dit de l'amour passion qu'il est aveugle. Heureusement, la vie à deux rend la vue. Les petits défauts, minimisés au début, grossissent. Le couple est toujours heureux, mais l'intensité s'atténue. Chacun prend contact avec la personne réelle à la source de tant de sensations, d'émotions et d'espoirs. La certitude d'avoir conquis l'autre fait que chacun commence à se présenter sous son vrai jour et à exiger ce qu'il attend de son couple. Les différences deviennent alors des sources de différends. Par exemple, l'un met l'accent sur sa carrière et l'autre sur le couple et sur la famille.

Cette lutte pour le pouvoir est nécessaire : elle permet de savoir qui est réellement l'autre et d'affirmer les besoins et les attentes de chacun face au couple. À ce stade se joue toutefois l'avenir du couple. Plus de la moitié des couples se sépareront ; de 20 % à 30 % se résigneront et s'endureront, cherchant des compensations dans le travail ou les enfants ; et à peine 20 % sortiront gagnants de cette lutte inévitable.

Le partage du pouvoir

Quoiqu'ils soient égaux, l'homme et la femme sont quelque peu différents. Dans le partage du pouvoir, l'un et l'autre acceptent de mettre ces différences, parfois contradictoires, au service du couple et apprennent à gérer les crises et les conflits inhérents à la vie à deux. Ils réussissent, par exemple, à faire un budget qui tient compte de la sécurité financière de l'un et de l'insécurité financière de l'autre. Les deux sont plus souvent amants qu'ennemis intimes. Les deux utilisent leur intelligence émotionnelle pour ne pas laisser leurs émotions négatives et leurs frustrations étouffer leurs émotions positives et leur joie d'être ensemble.

L'engagement

C'est à cette étape de la relation que le couple devrait se marier, car leur amour est maintenant basé non plus sur la passion, mais sur une véritable connaissance et acceptation de l'autre tel qu'il est dans ses ressources, ses sensibilités, ses faiblesses. Ici, l'amour devient un attachement, non plus une dépendance passionnelle, au style de vie original et unique (ce que j'appelle la «culture conjugale») que le couple a su créer bien au-delà de leurs crises. Face à leurs conflits, ils ont fait grandir leur intimité et leur entraide. Ils sont devenus de véritables complices.

L'ouverture sur autrui

Toute une vie est nécessaire pour arriver à cette sagesse que savent démontrer les couples heureux à long terme. Leur existence prouve que malgré les difficultés de la vie à deux, il est possible de réussir là où la majorité a échoué. Ils se rappellent même leurs conflits antérieurs avec humour. Ceux-ci deviennent un exemple pour leurs enfants, leurs petits-enfants et leur entourage.

Les cinq étapes du couple

1. La lune de miel, ou la période de séduction passionnelle
2. La lutte pour le pouvoir, ou la période d'adaptation
3. Le partage du pouvoir, ou la période de stabilisation
4. L'engagement, ou l'amour véritable
5. L'ouverture sur autrui, ou comment servir d'exemple

Chronique 7

Les femmes échangent, les hommes argumentent

En trente ans de thérapie conjugale, le principal reproche que j'ai entendu des femmes envers les hommes, c'est qu'ils ne communiquent pas assez et ne sont pas ouverts au dialogue : « Il faut toujours leur tirer les vers du nez et l'on ne sait jamais à quoi pensent vraiment les hommes. » En dehors du sexe, évidemment !

Ce reproche est confirmé par nos observations : plus le temps passe, moins l'homme a tendance à se montrer communicatif dans l'intimité du couple. Il agit souvent comme si sa partenaire était acquise, comme s'il lui avait tout dit et qu'il n'était plus nécessaire de la tenir au courant de ses pensées et de ses sentiments. Quand sa partenaire lui en fait la remarque, il lui répond qu'il ne veut pas la déranger avec ses préoccupations, qu'il ne pense à rien ou que tout va bien.

La femme veut communiquer

Il n'y aurait pas de problème si la femme ne possédait pas un si grand besoin de communication. Pour se sentir vivante, attirante, aimée, pour se sentir en relation, la femme a besoin de s'exprimer verbalement et elle a également besoin que son partenaire fasse de même. Elle retire beaucoup de plaisir à parler et à partager ses pensées et ses émotions, non pour résoudre nécessairement un problème, mais tout simplement pour confirmer l'existence de la relation.

Pour l'homme, communiquer veut dire échanger de l'information et il le fait souvent en ayant plaisir à argumenter. Pour la femme, communiquer signifie partage, intimité et plaisir. Celle-ci s'attend à retirer de ses conversations un important soutien émotionnel, dans la mesure où elle tente de se comprendre et de comprendre les autres. Quant à l'homme, il s'attend à des conversations rapides, de préférence amusantes, qui lui permettent d'échanger des informations pratiques et utiles. Il aime rarement «parler pour parler».

L'homme veut agir

En général, les hommes mettent l'accent sur l'action, sur la réussite professionnelle, sur le confort matériel du couple, sur l'indépendance et sur la paix émotive du foyer. Les femmes insistent sur la relation, sur la réussite romantique, sur l'interdépendance et sur l'expression verbale des émotions à l'intérieur du couple et du foyer. Le jour et la nuit, quoi!

Comparée à l'homme, la femme est experte dans la communication verbale, surtout s'il s'agit d'exprimer des émotions. Le besoin de communication verbale à couleur émotive est un besoin typiquement féminin, comme nous le confirme une étude faite par l'Ordre des psychologues du Québec: 73 % des femmes interrogées croient que la communication dans le couple peut régler tous les problèmes contre seulement 27 % des hommes. Celles-ci parlent plus que les hommes dans l'intimité, mais communiquent-elles vraiment? D'après les psychologues Yvan Lussier et Stéphane Sabourin: «Quand les hommes commencent à parler, si elles n'entendent pas ce qu'elles veulent, les femmes refusent bien souvent la communication.»

Ce besoin de communication verbale et émotive est légitime et sain pour la femme, mais pas nécessairement pour l'homme qui, en général, manifeste plus de pudeur émotive. Il est toutefois possible pour la femme d'utiliser des stratégies qui lui permettront de mieux satisfaire son besoin: poser des questions précises, respecter les moments de silence, accepter la difficulté de l'homme à parler d'émotions, cesser de l'interrompre, ne pas parler à sa place, pratiquer l'écoute active, attirer son attention en le touchant, faire appel à ses compétences et, surtout, prendre la responsabilité de son besoin de communication et de ses émotions.

Quant à l'homme, s'il veut être heureux en couple, il n'a pas vraiment le choix : il doit se mettre à l'écoute de sa partenaire et aider celle-ci à satisfaire son besoin de communication au lieu de se mettre sur la défensive et de lui offrir des solutions pour faire disparaître ses émotions. Si l'homme connaissait réellement la valeur érotique de l'écoute, il ne refuserait jamais d'acquiescer à la demande de sa partenaire lorsque celle-ci lui dit : « Chéri, parle-moi ! » Et il mettrait en pratique le conseil d'un livre de Jacques Salomé : « Chéri, parle-moi ! J'ai des choses à te dire[3]. »

Les hommes, les femmes et la communication

Les femmes communiquent...	Les hommes communiquent...
de l'information subjective	de l'information concrète
le plus souvent possible	le plus rapidement possible
sur des thèmes intimes	sur des thèmes extérieurs à eux
pour le plaisir de communiquer	sur un ton amusant si possible
avec pour objectif d'entretenir la relation	avec pour objectif de solutionner les problèmes

---

3. Jacques Salomé, *Parle-moi. J'ai des choses à te dire*, Montréal, Éditions de l'Homme, 2004.

Des conflits insolubles

Contrairement à la croyance populaire, le couple ne rend pas heureux. Il est plutôt un creuset où se développent de nombreux conflits qui, pour la plupart, sont insolubles. Tout comme pour l'argent, c'est ce que l'on fait de son couple qui rend heureux ou malheureux.

Tous les couples sont confrontés aux mêmes sources de conflits. C'est la façon de les négocier qui fait qu'un couple survivra et sera heureux à long terme ou non. Certains conflits sont circonstanciels, d'autres perdurent au-delà du divorce. Les membres des couples malheureux ou conflictuels s'enlisent dans des tentatives désespérées pour solutionner ces conflits, chacun cherchant à prouver qu'il a raison et que l'autre a tort. Les couples heureux se mettent d'accord pour vivre avec des désaccords… à vie. Il existe six principales sources de conflits.

1. L'éducation des enfants

Le fruit de l'amour, l'enfant, risque fort de devenir une source de discorde permanente si l'un des parents use davantage de discipline et que l'autre est permissif : « Arrête de le dorloter si tu veux qu'il grandisse », « Ne sois pas aussi rigide, ce n'est qu'un enfant ». Les couples malheureux se disputent à savoir ce qui, de la discipline ou de la permissivité, est le plus bénéfique pour l'enfant. Souvent, l'un des deux (devinez lequel ?) démissionne. Les partenaires des couples heureux savent que l'enfant a besoin à la fois d'encadrement et de liberté.

2. L'argent

Le budget familial ne suscite aucun problème lorsque les deux partenaires partagent la même attitude face à l'argent. La réalité veut toutefois que le sentiment de sécurité financière n'est pas équitablement réparti. L'un met l'accent sur vivre ici et maintenant; l'autre veut assurer l'avenir : «Qui te dit que tu vivras assez vieux pour profiter de ta retraite?» «Que ferons-nous si tu perds ton emploi et que nous n'avons pas de réserve?» L'argent et l'éducation des enfants constituent les deux sources majeures de conflits conjugaux et post-conjugaux lorsque vient le temps de partager la garde des enfants et le patrimoine, et de négocier une pension alimentaire. Les autres sources de conflits disparaissent au moment du divorce.

3. Les belles-familles

Nombre de psychologues considèrent les belles-familles comme l'ennemi extérieur numéro 1, surtout si le couple vit dans l'entourage immédiat de l'une ou l'autre de celles-ci. L'un des partenaires est souvent désireux d'entretenir des relations serrées avec les deux familles, alors que l'autre voudrait vivre de façon plus indépendante. Le conflit classique, maintes fois caricaturé dans des séries télévisées et vaudevilles, est celui de la belle-maman qui veut enseigner à sa bru comment s'occuper de *son* fils et de *ses* petits-enfants, le fils étant piégé entre sa mère et sa femme.

4. Les tâches ménagères

À moins que l'un des deux partenaires ne décide de rester à la maison pour s'en occuper et voir aux soins des enfants, les tâches ménagères constituent un autre conflit la plupart du temps insoluble. La femme sous-estime généralement l'apport de son partenaire, alors que l'homme surestime ce qu'il fait dans et autour de la maison. Les membres des couples malheureux cherchent à établir la formule illusoire du donnant, donnant.

5. La vie privée

La conciliation famille-travail constitue un nouveau défi des couples modernes lorsque les deux veulent, à juste titre, se réaliser professionnellement. Comment assurer une vie conjugale et familiale intime si l'un des deux priorise sa vie professionnelle à sa vie privée? Comment préserver cette intimité si les deux ont des horaires différents ou si l'un travaille à domicile?

6. La sexualité

La sexualité démontre que les compromis sont difficilement réalisables lors de conflits conjugaux. Suggérer à un couple de faire l'amour trois fois par semaine lorsque l'un voudrait cinq fois et l'autre une seule fois, ne résoudra pas la différence de libido; au contraire, cela pourrait même l'accentuer. Les deux seront frustrés.

* * *

Je reviendrai sur chacun de ces conflits. Qu'il suffise de dire, pour le moment, que pour minimiser les conflits conjugaux, il faut trouver dès le départ un partenaire compatible, c'est-à-dire une personne qui partage sensiblement les mêmes points de vue que nous sur ces six dimensions. Les conflits risquent alors d'être moins polarisés. N'est-ce pas là d'ailleurs l'objectif des fréquentations: apprendre à connaître l'autre avant de s'engager?

 On se marie par manque de jugement.
On divorce par manque de patience.
Et on se remarie par manque de mémoire.

André Roussin

Chronique 9

Des moments critiques

Au-delà des conflits insolubles, les couples vivent aussi des moments difficiles. Les couples fusionnels survivent rarement à ces moments critiques. Tous ne vivent pas nécessairement les neuf crises mentionnées dans le tableau suivant (voir à la page 40) : certains ne seront jamais aux prises avec l'infidélité ; chez d'autres, par contre, les difficultés s'accumulent et les crises se nourrissent l'une l'autre.

Les premières crises

Nous espérons tous que la passion dure toujours. Mais il vient un temps où l'on découvre qui est réellement la personne que nous avons choisie, où nous perdons nos illusions sur l'amour, le couple, l'autre. L'acceptation de l'autre dans sa réalité constitue le premier moment critique. Les membres des couples heureux acceptent cette baisse de la passion et la transforment en amour basé sur la connaissance de l'autre et sur la réalité du couple. Les autres se résignent, surtout s'il y a des enfants, ou se séparent et partent à la recherche d'une nouvelle passion. Cette désillusion explique la majorité des divorces qui surviennent au cours des premières années de l'union, le plus souvent au cours de la quatrième ou cinquième année.

On sait aussi que le taux de séparation et d'infidélité augmente dans l'année suivant l'arrivée du premier enfant. Celui-ci, même ardemment désiré, provoque une véritable révolution dans la vie amoureuse d'un couple et oblige les partenaires à prendre des responsabilités auxquelles ils ne sont souvent pas préparés. Les activités sociales s'en trouvent perturbées. Il faut réaménager l'espace ou penser à déménager.

Les crises du milieu de la vie

Nul aujourd'hui, même syndiqué, n'est assuré d'un emploi permanent. Les changements de carrière sont également de plus en plus fréquents. Une perte d'emploi ou une promotion professionnelle exigeant un déménagement de l'un des conjoints peuvent confronter le couple à des décisions difficiles à prendre.

La routine, la lassitude, des besoins légitimes de moins en moins satisfaits, un climat de tension permanente peuvent pousser l'un des deux conjoints à chercher ailleurs des compensations. Environ 25 % des femmes et 30 % des hommes vivraient un jour ou l'autre une aventure extraconjugale. Deux couples sur trois se séparent à la suite de la découverte d'une infidélité, surtout si elle a été niée, car elle remet en question la confiance nécessaire à l'intimité et à l'engagement à long terme.

L'infidélité survient souvent au mi-temps de la vie, moment où toute personne fait un bilan de sa vie rêvée à l'adolescence et la compare à la réalité de sa vie d'adulte. Chacun doit alors décider s'il poursuit ou non le chemin qu'il s'est volontairement ou non dessiné. Ce démon de midi affecte tant les hommes que les femmes, quoiqu'il puisse y avoir certaines différences entre les sexes.

Les crises de fin de vie

Au départ des enfants de la maison, les amants devenus parents se retrouvent enfin entre eux ou ne se retrouvent pas et ont l'impression d'être devenus des étrangers. Le syndrome du nid vide affecte la femme ou la mère plus que l'homme qui s'est souvent investi davantage dans sa profession. Le départ des enfants provoque une forte remise en question du couple si l'on se fie au taux de divorce qui a alors tendance à augmenter.

La mise à la retraite, l'un après l'autre ou en même temps, oblige les membres du couple à se redéfinir tant sur le plan des espaces communs que sur le plan de leurs activités respectives et conjugales. Les deux se retrouvent face à face. Si, en plus, l'un des deux est quelque peu diminué par une maladie ou envahi par la peur de la mort, ce moment peut être d'autant plus critique. La maladie peut évidemment frapper en tout temps, tout comme la mort d'un être cher peut miner la vie conjugale. Peu de couples survivent, entre autres, à la mort d'un enfant, la pire des morts qui soit.

La vie de couple est tout, sauf un long fleuve tranquille, mais le couple constitue, malgré ces moments critiques, la meilleure stratégie de vie et de bonheur.

Les crises du couple

1. Le test de la réalité, ou la « désidéalisation »
2. L'arrivée d'un enfant
3. L'emménagement, le déménagement
4. Les changements de carrière, les pertes d'emploi
5. Les aventures extraconjugales
6. Le démon de midi
7. Le départ des enfants
8. La mise à la retraite
9. La maladie, la mort d'un être cher

Chronique 10

Les couples heureux

Je sais que je me répète : malgré les difficultés de la vie à deux, le couple apparaît encore aujourd'hui comme le meilleur mode de vie et la meilleure garantie de bonheur à long terme, même si cette dernière n'est pas à 100 % et qu'il faut de nombreux efforts pour y arriver.

Nous sommes tous heureux le temps de la séduction et de la lune de miel, laquelle dure quelques mois à deux ou trois ans tout au plus. Rares sont les couples qui réussissent à gérer harmonieusement les crises et les conflits inévitables de la vie à deux. Qu'est-ce qui fait que certains couples y parviennent alors que la majorité échoue ?

Depuis une quinzaine d'année, des psychologues ont cherché la réponse en créant des laboratoires de l'amour (des *love labs*) pour y observer, interroger, analyser et ausculter des couples heureux et des couples malheureux. Ils ont découvert que les premiers ont des attitudes et des aptitudes que ne possèdent pas les seconds. Ils n'ont pas trouvé de formule magique ou une recette infaillible, mais ils ont vite compris que les couples heureux évitent les pièges dans lesquels s'enfoncent les couples qui divorcent ou s'endurent pendant des décennies.

Ce qu'ils ne sont pas

Extérieurement, rien ne différencie un couple heureux d'un couple malheureux. Certains paraissent même très heureux en public alors qu'en privé ils vivent un véritable enfer. Les membres des couples heureux ne sont pas plus intelligents ou plus riches que les autres. Ils n'ont pas suivi de longs cours de préparation au mariage ni de psychologie masculine ou féminine. Ils ne sont pas parfaits. Ils ne sont pas non plus d'une beauté exceptionnelle. Ils ne vivent pas dans des châteaux et n'ont pas nécessairement une sexualité à tout casser.

Chose certaine, ils ne sont pas submergés par une passion qui les transporte et leur fait perdre la tête. Leur relation est davantage basée sur l'amitié, soit sur une connaissance réciproque et sur des affinités plutôt que sur la passion stimulée par les différences.

L'intelligence émotionnelle

Par contre, ils ont réussi à établir une dynamique qui empêche leurs pensées ou sentiments négatifs de prendre le dessus sur leurs pensées ou sentiments positifs. Ils n'entrent pas dans les jeux utilisés par les membres des couples malheureux : «J'ai raison, tu as tort», «Le problème, c'est toi», «Tu le fais exprès ou quoi?», «Tu ne comprends jamais rien à rien», «Ça fait vingt fois que je te le répète…».

N'allez pas croire que l'un des deux se soumet à l'autre. Au contraire, les deux exigent le meilleur de l'autre en tant que partenaire, amant, parent, travailleur et citoyen. Toutefois, ils affirment leurs besoins au lieu d'exprimer leurs frustrations ou leurs émotions, à moins que ces dernières ne soient positives. Les couples heureux, en effet, se font de cinq à dix fois plus de compliments que de reproches.

Le sens des responsabilités

Les membres des couples heureux possèdent un solide sens des responsabilités. Ils ne demandent pas à l'autre de les rendre heureux ; ils ne demandent pas à l'autre de changer pour correspondre à l'image idéale qu'ils se font de l'autre. Chacun prend la responsabilité de sa vie et de son couple à 100 %, là où les membres des couples malheureux le font à moitié.

Si les besoins affectifs ou sexuels de l'un ne sont pas satisfaits, il trouve de nouvelles stratégies pour les satisfaire au lieu d'accuser l'autre d'être responsable de ses frustrations. Ils n'utilisent pas la formule donnant, donnant si chère aux couples malheureux. Ils sont exigeants parce qu'ils sont aussi très généreux et donnent sans attendre quoi que ce soit en retour. Les membres des couples heureux sont, la plupart du temps, formés de célibataires qui étaient heureux et avaient pris la pleine responsabilité de leur vie.

Lorsqu'ils sont interrogés sur le secret de leur bonheur, ils répondent généralement : « J'ai toujours accepté mon partenaire tel qu'il est. »

Les caractéristiques des couples heureux

Ils préfèrent être heureux.
Ils acceptent les désaccords.
Les sentiments positifs prédominent.
Ils exploitent leurs différences.
Ils sont affirmatifs et exigeants.
Ils sont fidèles et responsables.

Les cavaliers de l'Apocalypse

Un dicton populaire voudrait que les couples heureux n'aient pas d'histoire. Rien n'est plus faux. Chaque couple heureux possède, au contraire, une culture conjugale qui lui est propre. Par contre, tous les couples malheureux ou qui finissent par divorcer ont la même histoire : tous ont invité les quatre cavaliers de l'Apocalypse à demeure.

La présence de ces cavaliers augure très mal l'évolution du couple, car ils se nourrissent l'un l'autre dans une escalade sans fin qui transforme rapidement les deux amoureux passionnés en véritables ennemis intimes. J'appelle schismogenèse complémentaire[4] cette escalade destructrice.

La critique

Une critique, surtout exprimée brutalement, ne peut que créer une tension immédiate entre les deux protagonistes. Encore faut-il faire une différence entre une critique, laquelle s'adresse à la personne, et un reproche, lequel vise plutôt le comportement. Le fait de reprocher à son partenaire d'être en retard est compréhensible, mais le fait de lui dire qu'il ne respecte jamais sa parole parce qu'il arrive en retard ne peut que susciter une réaction critique tout aussi acerbe (« Tu exagères encore ! ») et constituer une invitation pour

---

4. Concept élaboré par l'anthropologue et psychologue Gregory Bateson dans *La nature et la pensée* (Seuil, Paris, 1984).

les trois autres cavaliers. Le fait de traiter sa partenaire de frigide au lieu de lui dire le plaisir de la voir plus active fait, là aussi, toute une différence. La critique est une attaque à l'intégrité de la personne, surtout si elle revient constamment.

Le mépris

Le mépris accompagne fréquemment la critique. Le mépris peut être verbal : « Tu ne fais jamais rien de bon » ou « Tu crois vraiment que t'en es capable ? », dit sur un ton corrosif. Le mépris est également non verbal et souligne la critique : yeux levés au ciel, ricanements, moues dédaigneuses, regards assassins… Le mépris exprime le dégoût et cherche à humilier l'autre en le traitant d'irresponsable, en mettant l'accent sur ses tares (même imaginaires), en adoptant une attitude moralisatrice : « Je sais *moi* ce qui est bien et ce qu'il faut faire. » Il est généralement le résultat de ruminations négatives au sujet de reproches ou de disputes antérieures. Il démontre de l'exaspération, laquelle prépare souvent le terrain au chantage : « Si tu ne changes pas, tu n'auras qu'à t'en prendre à toi-même si je décide de te quitter… » Le mépris engendre évidemment le mépris.

L'attitude défensive

Face à une critique ou à une attitude méprisante, il est très humain de se défendre, et la meilleure défensive reste toujours la contre-attaque : « Ce n'est pas moi qui suis dans le tort, c'est toi qui es trop exigeant. » Toutefois, la contre-attaque ne résout rien : elle ne fait qu'ajouter de l'huile sur le feu, elle alimente l'escalade. L'attitude défensive consiste à dire que c'est celui qui critique qui est dans le tort parce que, justement, il critique : « Pourquoi compliques-tu toujours tout ? » Chacun cherche à marquer des points, à gagner. Malheureusement, c'est le couple qui est perdant, ainsi que les deux partenaires, et les enfants s'il y en a. Dans un couple, je ne le répéterai jamais assez, il ne peut y avoir que deux gagnants ou deux perdants, jamais un gagnant et un perdant. Le perdant s'organisera toujours pour faire payer à l'autre l'humiliation ressentie.

La dérobade

Ce cavalier de malheur arrive à la suite de longues périodes de disputes. Nous connaissons tous des couples où l'un des deux partenaires, généralement l'homme, s'est emmuré dans le silence. Plutôt que de confronter sa femme, il fuit le combat et se retranche dans une attitude de «Cause toujours mon lapin…». Ce qui a l'heur d'exaspérer sa partenaire qui a l'impression de parler pour rien ou dans le vide, lui donnant une raison supplémentaire de critiquer. Il s'agit d'un cercle vicieux imparable : plus elle critique parce qu'il s'enferme, plus il s'enferme parce qu'elle critique. Beaucoup de couples rendus à ce stade ne se regardent même plus dans les yeux lorsqu'ils sont ensemble ou se parlent.

Ces quatre cavaliers de l'Apocalypse sont des mécanismes de défense tout à fait humains, mais ils n'ont pas leur place dans un couple qui se veut heureux à long terme.

Moins vous communiquez vos reproches, vos pensées négatives et vos critiques à votre partenaire, meilleure sera votre intimité et plus solide votre couple.

Laura Doyle

Chronique 12

La communication klaxon

À l'instar de Jacques Salomé, j'appelle communication klaxon toute communication qui commence par *tu*, laquelle, selon le psychosociologue, tue la communication. J'appelle aussi communication klaxon toute communication qui répète sans cesse le même message (« Ça fait vingt fois que je te dis de… ») et toute communication dans laquelle le ton monte d'un cran et qui pousse l'autre à dire : « Ne me parle pas sur ce ton ! »

S'il y a un élément sur lequel la majorité des thérapeutes conjugaux s'entend, c'est bien sur la nécessité de la communication dans le couple. Des centaines de livres et d'articles ont été écrits sur le sujet ; des milliers de conférences sont prononcées chaque année sur ce thème. D'ailleurs, de nombreux clients consultent pour des problèmes de communication.

La communication efficace

L'analyse transactionnelle a même élaboré la théorie de la communication efficace en trois étapes. Rosenberg l'appelle la communication non violente (CNV). L'objectif est qu'il n'y ait jamais de perdants dans une discussion, ce qui en soi est très louable. Si, d'après les intervenants conjugaux, la communication est indispensable au bonheur conjugal et bien que nous ayons les meilleurs outils de communication imaginables, comment expliquer que les couples aient tant de problèmes de communication menant parfois à la violence verbale et physique, sinon au divorce?

**La communication efficace ou non violente
en trois étapes**

1. Parler au *je* et dire l'émotion ressentie : « Je me sens en colère (ou triste)... »
2. Décrire le comportement : « ... devant ton retard (ou ton oubli)... »
3. Faire le lien entre l'émotion et le comportement : « ... ce qui me donne l'impression que je ne suis pas important à tes yeux. »

Serait-il possible que nous nous illusionnions sur la toute-puissance de la communication? Se pourrait-il qu'il soit impossible de communiquer comme nous le voudrions? Se pourrait-il qu'il y ait quelque chose d'incommunicable entre deux personnes, à plus forte raison entre un homme et une femme? Se pourrait-il que la communication, loin d'être la clé de l'amour, puisse parfois être l'une de nos principales sources de mésententes? Combien de fois avez-vous dit à votre partenaire ou votre partenaire vous a-t-il dit : « Décidément, *tu* ne me comprends pas! »?

Pour la majorité, la communication devrait mener au consensus. Or, elle signifie échange et non pas communion ou commune-action. La communication se rapproche davantage du troc que de la compréhension.

Communication et couple heureux

Il est toujours préférable de communiquer de façon efficace ou non violente, mais l'observation des couples heureux à long terme nous démontre que ceux-ci n'utilisent pas cette forme de communication, mais ils emploient les messages au *tu*. Sauf que, contrairement aux couples malheureux qui mettent l'accent sur l'expression de leurs émotions et de leurs frustrations, les gens heureux expriment davantage leurs besoins et leur satisfaction et ils le font de façon positive.

Les membres des couples heureux se disent de cinq à dix fois plus de compliments et de mots gentils que de reproches ou de critiques. En fait, n'en déplaise à Jacques Salomé, ce n'est pas vraiment le *tu* qui tue la communication, mais plutôt les paroles qui le suivent. Dire « *Tu* ne comprends jamais rien à rien » ou « *Tu* es con ou quoi ? » n'a pas du tout le même effet que de dire « *Tu* es si intelligent » ou « *Tu* es une femme extraordinaire ». Le *tu* suivi de paroles négatives suscite la résistance et invite les cavaliers de l'Apocalypse ; le *tu* suivi de paroles positives ouvre l'échange et entretient la relation.

Se pourrait-il que la communication efficace ou non violente soit davantage un dada de psy qu'une stratégie gagnante pour être heureux en couple ? Si la communication efficace était si... efficace, comment expliquer que des spécialistes de la communication divorcent ?

Entre ce que je pense,
ce que je veux dire,
ce que je crois dire,
ce que je dis,
ce que vous avez envie d'entendre,
ce que vous croyez entendre,
ce que vous entendez,
ce que vous avez envie de comprendre,
ce que vous croyez comprendre
ce que vous comprenez,
il y a dix possibilités qu'on ait
des difficultés à communiquer.
Mais essayons quand même...

Bernard Werber

Êtes-vous heureux ?

Les couples heureux sont ceux qui ont su, à travers les conflits insolubles et les crises inévitables de la vie à deux, établir un climat
permettant la satisfaction de vingt-cinq besoins légitimes.

Pour connaître l'état de votre bonheur (ou malheur) conjugal, éva-
luez votre degré de satisfaction à propos de ces vingt-cinq besoins à
partir de l'échelle suivante :

1. Très insatisfait ; 2. Peu satisfait ; 3. Satisfait ;
4. Assez satisfait ; 5. Très satisfait.

1. Notre confiance et notre respect réciproques ☐
2. Le respect de mon territoire et de mes habitudes ☐
3. Sentiment d'admiration pour mon partenaire ☐
4. Sentiment que mon partenaire m'admire ☐
5. Sentiment de complicité avec mon partenaire ☐
6. Notre entente sur nos projets à court, à moyen
   et à long termes ☐
7. La communication verbale de nos émotions ☐
8. La fréquence de nos rapports sexuels ☐
9. La qualité de nos rapports sexuels ☐
10. Nos moments de tendresse, hors sexualité ☐
11. L'éducation de nos enfants (actuels ou à venir) ☐
12. Notre entente financière ☐

13. Le partage des tâches ménagères ☐
14. Nos liens avec nos belles-familles ☐
15. Nos activités de loisirs ☐
16. La vie au jour le jour ☐
17. La prise de décision ☐
18. La gestion de nos conflits ☐
19. La quantité de temps passé ensemble ☐
20. La qualité de temps passé ensemble ☐
21. Le soutien obtenu pendant les moments difficiles ☐
22. Les relations avec nos couples d'amis ☐
23. Nos périodes de vacances en couple, en famille et seul ☐
24. Notre engagement réciproque et notre partage du pouvoir ☐
25. Mon sentiment de liberté dans mon couple ☐

Faites le total: _____. Puis, soustrayez vingt-cinq points de ce total = _____ %. Le chiffre obtenu donne votre taux de satisfaction conjugale en pourcentage. Plus celui-ci est élevé et plus vous vivez en couple depuis longtemps, plus vous êtes amoureux et heureux et risquez de continuer à l'être. Le tableau de la page suivante vous donne une première évaluation de votre résultat.

Le résultat obtenu vous donne une photographie de votre bonheur conjugal *actuel*. Cette évaluation est évidemment subjective et peut évoluer selon votre humeur ou votre tendance à minimiser ou à exagérer la réalité. C'est pourquoi il peut être intéressant de répondre à nouveau à ce questionnaire dans quelques semaines.

Je vous encourage à demander à votre partenaire de répondre aussi à ce petit test et de comparer vos résultats réciproques. Certaines différences peuvent vous surprendre, de façon positive ou négative. Petit conseil: faites comme les couples heureux et partagez davantage sur les points positifs que sur les points négatifs. Arrosez les fleurs, pas les mauvaises herbes!

Une première analyse des mille deux cent dix-huit répondants à ce questionnaire indique que :

1. de façon générale, les hommes manifestent un bonheur conjugal légèrement plus élevé que les femmes ;
2. un homme sur deux se déclare insatisfait de sa fréquence de rapports sexuels (n° 8) ;
3. 52 % des femmes sont insatisfaites de la communication verbale des émotions (n° 7) ; et
4. près d'un homme et d'une femme sur deux sont insatisfaits de la gestion de leurs conflits (n° 18).

Les deux plus grandes sources de satisfaction des femmes sont le respect de leur territoire et de leurs habitudes (n° 2) et la qualité du temps passé ensemble (n° 11). Quant à celles des hommes, ce sont les liens avec les belles-familles (n° 14) et le partage des tâches ménagères (n° 13). Plutôt curieux, n'est-ce pas ?

Interprétation sommaire des résultats

De 76 % à 100 %	Couple très heureux, surtout si vous approchez de 100 %.
De 51 % à 75 %	Couple heureux avec des hauts et des bas, mais attention si vous approchez de 51 %.
De 25 % à 50 %	Couple malheureux et qui risque de l'être de plus en plus si vous n'y prenez garde.
De 0 % à 25 %	L'un de vous deux, sinon les deux, songe sérieusement au divorce.

Pour une interprétation beaucoup plus détaillée de vos résultats, voir www.coupleheureux.com.

Les relations toxiques

Tous les couples vivent des moments difficiles mais lorsqu'il n'est plus possible de faire autrement, il faut quitter les relations devenues difficiles ou impossibles. Tout couple mérite d'être sauvé, mais pas à n'importe quel prix, pas au prix d'une vie ratée.

Les moments difficiles ou les relations difficiles

Il existe des relations conjugales auxquelles il faut mettre fin sans délai, même sans thérapie ; voici sept situations.

1. Vous devez mettre fin à toute relation avec une personne hors d'atteinte parce que votre amoureux est déjà marié, parce qu'il vous dit qu'il ne veut pas s'engager (croyez-le!) ou parce qu'il ne peut pas s'engager à cause d'un travail trop prenant. Ne faites pas comme l'une de mes clientes venue me consulter à trente-huit ans et à qui son amant promettait de divorcer depuis près de quinze ans.

2. Vous devez aussi divorcer si vous êtes sur des longueurs d'onde tellement différentes qu'il n'existe aucun point commun, où la communication ne mène nulle part et où, finalement, vous n'avez pas, ou si peu, de plaisir à être ensemble.

3. Si vos besoins d'amour et de tendresse ne sont pas respectés, si votre partenaire rejette votre sexualité, s'il n'y a ni respect ni honnêteté (des infidélités à répétition par exemple), si vous ne ressentez aucun soutien émotif ou concret.

4. Si vous avez l'impression que votre couple constitue un territoire dévasté où ne règnent que le vide, l'isolement, le manque, la distance.

5. Lorsque le couple n'est qu'un champ de bataille remplit de haine, de colère et d'insultes. À plus forte raison si vous êtes victime de violence psychologique, physique, sexuelle, économique ou si vous-même réagissez par de la violence.

6. Si la relation est basée sur la manipulation par la jalousie (« Tu n'as pas le droit d'exister en dehors de moi »), par la faiblesse (« Je ne suis rien sans toi »), par le pouvoir (« Tu agis comme je veux, sinon je te quitte »), par la servitude (« Je te suis tellement utile que tu ne pourras jamais me quitter ») ou par la culpabilité (« Tout est de ta faute »). Il n'y a pas de place pour le chantage dans un couple heureux.

7. Il en va de même des relations où vous cherchez continuellement à vous convaincre que :
   - votre partenaire vous aime malgré sa froideur ;
   - c'est tellement bon ce qui se passe parfois, mais rarement, entre vous deux ;
   - vous vous disputez parce que vous vous aimez beaucoup trop ;
   - l'amour n'est pas tout dans la vie ;
   - l'autre ne s'engage pas parce qu'il a peur de l'intimité ;
   - l'autre n'a pas appris à exprimer ses émotions ;
   - il vaut mieux être mal accompagné à deux que malheureux seul.

Ce sont des rationalisations qui vous paralysent, qui minent votre confiance, votre estime de vous-même et qui vous rendront malade, psychologiquement et physiquement, avec le temps.

La thérapie conjugale

Une thérapie conjugale constitue l'occasion ultime pour vérifier si votre couple est encore possible, à la condition que les deux veuillent y participer et acceptent de se remettre en question. Allez quand même en thérapie même si votre partenaire ne veut pas y participer. Si vous changez, vous changerez la dynamique conjugale et il se peut que votre partenaire change. Sinon, vous aurez une décision difficile à prendre : vous résigner ou partir. Dans ce dernier cas, cela exigera de nombreux efforts et vous fera vivre un chagrin d'amour[5]. Mais la vie existe après une séparation et elle est souvent meilleure.

Être en vie implique plaisir et douleur. Pour être heureux, il faut :

- chercher à voir le bon côté des choses ;
- tirer les bonnes leçons de nos expériences ;
- décider de tout faire pour augmenter nos probabilités d'être heureux et minimiser celles d'être malheureux.

Le bonheur, y compris le bonheur conjugal, s'apprend et se construit.

On peut choisir d'être heureux ou malheureux en couple.

---

5. Pour accélérer votre processus de deuil de la relation, je vous suggère de lire *Guérir d'un chagrin d'amour* (Éditions Jouvence, 2008).

Faut-il avouer une infidélité ?

D'après les chercheurs, entre 20 % et 30 % des hommes et entre 15 % et 25 % des femmes seraient infidèles au moins une fois dans leur vie. Les sondages de certains magazines rapportent plutôt des chiffres qui avoisinent les 50 %, peu importe le sexe. Selon Shere Hite[6], aux États-Unis, 70 % des femmes mariées depuis au moins cinq ans et 72 % des hommes déclarent avoir été infidèles au moins une fois. C'est donc dire qu'entre un et deux couples sur quatre sont touchés un jour ou l'autre par l'infidélité de l'un ou l'autre des deux partenaires.

Dois-je avouer mon infidélité ?

Il n'existe pas de réponse toute faite à cette question. Tout dépend de votre motivation car, contrairement à la croyance populaire, l'infidélité n'est jamais banale. Le fait de révéler votre infidélité vous soulagera, mais chargera votre partenaire. Si vous voulez blesser votre partenaire en lui avouant votre infidélité, vous réussirez certainement. Par contre, si vous annoncez votre infidélité pour éclaircir le malaise qui existe dans votre couple et pour améliorer votre relation, je vous encourage à le faire. Il vaut mieux alors crever l'abcès, même s'il subsistera une cicatrice à vie.

---

6. Shere Hite, *Le nouveau rapport Hite* (Paris, J'ai lu, 2002). Les données de Shere Hite ne peuvent toutefois s'appliquer qu'aux gens ayant répondu à son questionnaire, et non à la population dans son ensemble.

Il vous faut être très clair sur les raisons qui vous poussent à avouer votre infidélité, car cela pourrait détruire votre couple. Près de 45 % des couples divorcent lorsque l'infidèle avoue de lui-même son infidélité, mais ce pourcentage grimpe à 86 % si le partenaire découvre l'infidélité après que l'infidèle l'eut longtemps niée car, à la trahison, s'ajoute le mensonge, soit une double infidélité. En moyenne, deux couples sur trois divorcent après l'annonce d'une aventure extraconjugale.

Dois-je en retarder l'annonce?

Il vaut mieux retarder l'annonce de l'infidélité si votre partenaire vit un moment difficile, comme la mort d'un parent proche. Il vaut mieux taire votre infidélité si vous le faites pour soulager votre conscience ou si vous savez que votre partenaire ne le supporterait pas et vous quitterait, ou encore si vous avez déjà décidé de quitter votre partenaire.

D'un autre côté, le secret encourage la poursuite de la relation infidèle. La honte, la culpabilité et l'ambivalence qui accompagnent une vie parallèle risquent de pourrir votre relation jusqu'à la séparation; il vaut mieux alors confronter la situation. Il est préférable de taire une infidélité ancienne à laquelle vous avez mis fin malgré vos remords de conscience.

Comment dois-je annoncer mon infidélité?

L'annonce d'une infidélité provoque presque toujours une explosion. Pour en minimiser les dégâts, assurez-vous d'être motivé par un désir réel d'améliorer votre couple et choisissez un moment d'accalmie. Attendez aussi que votre partenaire soit au meilleur de sa forme physique et mentale, car vous aurez à contrôler votre propre hostilité et votre tendance à vous défendre devant la réaction de colère inévitable et compréhensible de celui-ci.

Quelques suggestions

- N'accusez surtout pas votre partenaire d'être le responsable de votre infidélité : «Si tu me disais plus souvent que tu m'aimes ou si tu faisais plus souvent l'amour avec moi, cela ne serait jamais arrivé.»
- Pour éviter que votre partenaire imagine le pire, ne répondez qu'à des questions légitimes (qui, quand, où), car plus vous donnez de détails, plus votre partenaire aura de choses à vous pardonner.
- Soyez patient et laissez à votre partenaire la possibilité de vous exprimer sa colère, sa déception, son sentiment de trahison, sa tristesse, etc.
- Ne défendez pas votre amant si votre partenaire le critique.
- Dites que vous l'aimez et que c'est pour cette raison que vous «confessez» votre infidélité ; pour sauvegarder et améliorer votre relation, car vous avez mis ou voulez mettre fin à votre escapade. Demandez-lui de vous aider à le faire.
- N'espérez pas un pardon immédiat. Au contraire, vous risquez d'en entendre parler longtemps.
- Acceptez que votre partenaire revienne régulièrement sur la situation même s'il ne se rend pas compte que vous passez un moment terrible, que vous êtes rongé de remords, que vous aussi avez mal, que vous aussi vivez une peine d'amour.
- Comprenez que sa souffrance l'empêche de voir la vôtre.
- Acceptez d'aller en thérapie si votre partenaire le propose. C'est un signe qu'il veut comprendre et qu'il ne vous rejette pas parce que vous avez été infidèle.

Nulle infidélité ne peut être considérée comme thérapeutique en soi. Ne l'utilisez pas pour attirer l'attention de votre partenaire ou pour compenser des manques. L'infidélité, c'est ajouter un problème par-dessus un autre. Il vaut mieux confronter la situation… avant[7].

 L'infidélité, un véritable infarctus conjugal!

7. Pour en savoir davantage : Yvon Dallaire, *Les illusions de l'infidélité* (Genève, Éditions Jouvence, 2008) ; Yves Dalpé, *L'infidélité n'est jamais banale* (Montréal, Éditions Quebecor, 2006) ; François Saint-Père, *L'infidélité. Mythes, réalités et conseils pour y survivre* (Montréal, Libre Expression, 2006).

Chronique 16

Seul... et heureux!

Vivre seul et heureux pour mieux vivre à deux : voilà l'un des fondements des couples heureux à long terme. Le fait de ne pas faire dépendre son bonheur de la présence de quelqu'un d'autre demande beaucoup de maturité et d'intelligence émotionnelle.

L'une des rares certitudes que nous possédions sur la vie, c'est que nous passerons le reste de notre vie avec nous-même, d'où la nécessité de faire de soi son meilleur ami. Impossible de développer une relation saine avec autrui sans établir au préalable une saine harmonie avec soi-même. Nos recherches le confirment : les célibataires heureux forment la plupart du temps des couples heureux car, au lieu de «tomber amoureux», ils «s'élèvent» en amour.

À mon avis, l'une des plus belles paroles d'amour que l'on puisse dire à son partenaire est : «Chéri, quand je suis avec toi, je suis heureux et quand je suis seul, sans toi, je suis tout aussi heureux», ce qui signifie que : «Je n'ai pas *besoin* de toi, mais je te *choisis* librement et volontairement pour m'accompagner dans mon bonheur et je suis là pour toi si tu le veux.» Cette pensée est pour moi le meilleur antidote à la codépendance et le plus bel exemple de maturité émotionnelle.

Les célibataires malheureux

Selon le psychologue Michel Giroux[8], on peut classer les célibataires malheureux en sept catégories, chacune représentée par un animal fétiche. Celles-ci s'appliquent tant aux hommes qu'aux femmes célibataires.

Les célibataires malheureux n'ont pas su apprivoiser la solitude qu'ils vivent comme un isolement plutôt que comme un temps privilégié pour apprendre à mieux connaître leurs besoins et à profiter au maximum de leur état de célibat avant de savourer les plaisirs d'une vie conjugale future que les célibataires heureux espèrent mais ne recherchent pas désespérément et continuellement.

Les célibataires malheureux

L'ours grognon	Il s'enferme dans sa caverne au lieu de rencontrer des gens ; c'est la vieille fille ou le vieux garçon d'à côté.
Le paon	Le coureur de 5 à 7 qui a horreur de la solitude et qui sombre dans des relations superficielles.
La fourmi affamée	Il travaille sans arrêt, se paie tout ce qu'il veut, mais sa vie privée et intime passe en dernier.
Le caméléon	Il passe inaperçu parce qu'il est trop timide ou incapable d'entretenir une conversation.
L'oiseau-mouche	Le charmeur charmant va de passion en passion, terrifié par un engagement sérieux.
La sangsue	Il est prêt à s'engager avec la première personne qui s'intéresse à lui mais, finalement, il fait fuir tout le monde.
Le coq	C'est une personne mariée toujours à l'affût d'une nouvelle conquête, mais à qui la solitude fait tellement peur qu'il n'ose divorcer.

---

8. Michel Giroux, *Psychologie des gens heureux* (Montréal, Éditions Quebecor, 2005).

Les célibataires heureux

Le célibataire heureux possède, quant à lui, cinq aptitudes :

1. il apprécie sa propre compagnie, sans tomber dans le narcissisme ;
2. il est ouvert à l'expérience et à la nouveauté ;
3. il exerce un travail satisfaisant, intéressant et amusant dans lequel il se réalise pleinement, ou bien il profite de son célibat pour se réorienter professionnellement ;
4. il a l'esprit d'initiative et va facilement vers les autres ;
5. il a su développer une pensée positive face à la vie car il sait que le bonheur n'est pas une question de statut civil, mais la capacité d'accorder de la valeur à ce que l'on possède.

Il n'est pas étonnant qu'un tel célibataire soit une personne très recherchée par son entourage, car il ne fait pas dépendre son bonheur de la présence des autres, même s'il sait s'enrichir à leur contact. Ses relations sociales lui permettent d'acquérir des habiletés relationnelles si nécessaires à la vie à deux.

 Le bonheur se trouve seul et se partage avec quelqu'un.

Benoît Magimel

Pour vivre longtemps, soyez heureux !

Nous savons que le risque de suicide est le plus faible chez les personnes mariées et qu'il augmente chez les célibataires, les divorcés, les séparés et les veufs. Mais saviez-vous que les personnes heureuses en couple vivent plus longtemps et en meilleure santé que les personnes malheureuses en ménage ?

Couple malheureux et stress

C'est du moins la conclusion à laquelle arrivent les chercheurs Lois Verbrugge et James House de l'université du Michigan. D'après eux, un mariage malheureux augmente les risques de maladies de 35 % en plus d'écourter la vie de quatre ans. L'hypothèse qu'ils retiennent est que les partenaires malheureux sont plongés dans un état d'irritation physiologique permanent et diffus : ils sont donc dans un état chronique de stress physiologique et psychologique. Cette tension accélère le processus du vieillissement du corps et de l'esprit, lequel se manifeste par des désordres physiques (comme l'hypertension artérielle, différents problèmes cardiaques) et par des symptômes psychiques (comme l'anxiété, la dépression, la violence, les toxicomanies).

Dans les couples heureux, ces diverses affections sont moins fréquentes parce que chaque conjoint prend davantage soin de la santé de l'autre et est plus présent pendant les maladies du partenaire pour surveiller sa prise de médicaments. Les conjoints heureux se préoccupent aussi davantage de leur alimentation et de leur condition physique.

Les secrets des couples heureux

D'après John Gottman et son équipe de psychologues, dont les résultats de recherches ont été publiés dans *Les couples heureux ont leurs secrets*[9], l'explication serait que le bonheur conjugal renforce le système immunitaire. Leurs études ont démontré que les globules blancs des femmes et des hommes heureux se multiplient plus rapidement que ceux des membres des couples malheureux. De plus, les personnes vivant en couple heureux posséderaient plus de cellules tueuses que les autres. Les cellules tueuses sont celles qui éliminent les cellules endommagées ou dénaturées. Il faut également savoir que les caresses réciproques (baisers, massages…) et les activités sexuelles chaleureuses, en stimulant la peau, stimulent aussi le cerveau et en ralentissent le vieillissement.

Les couples heureux passent par les mêmes étapes, les mêmes confrontations, les mêmes moments difficiles que tous les autres, mais ils réagissent différemment aux situations conflictuelles : ils n'entretiennent pas les différends et apprennent rapidement à accepter les différences. Au contraire des couples malheureux, ils désamorcent les sources de tension et développent des stratégies de rapprochement.

Les couples heureux sont ceux dans lesquels aucun des partenaires ne fait porter sur l'autre la responsabilité des tensions et des conflits imprévisibles qui vont surgir ; ils savent que le couple est un lieu privilégié pour vivre des crises qui vont permettre à chacun de grandir. Autrement dit, ils ne se font pas de problèmes avec leurs problèmes, jugeant qu'il est tout à fait normal qu'un couple puisse

9. Paris, JC Lattès, 1999.

vivre des différends, parfois même des confrontations. Toutefois, ces dernières se font dans le respect et la confiance réciproques.

Le couple heureux est celui où les besoins relationnels de chacun, même s'ils sont différents, sont entendus, respectés et comblés. Ils savent que l'on peut s'aimer même dans le désaccord. C'est pourquoi ils acceptent d'être influencés par l'autre au lieu de vouloir s'imposer à l'autre, ce qui ne peut que provoquer résistance, défensive et tensions de toutes sortes si nuisibles à la santé physique, émotive et mentale.

Parents heureux = enfants heureux

En plus des bienfaits pour le couple lui-même, les enfants des couples heureux sont moins exposés à la dépression, moins sujets à l'absentéisme scolaire, plus facilement acceptés par leurs pairs. Par ailleurs, ils souffrent moins de problèmes de comportement (agressivité, hyperactivité...) et d'échecs scolaires, et, avantage supplémentaire, ils augmentent leurs probabilités de former à leur tour des couples heureux.

Le fait de nourrir sa relation conjugale est donc excellent pour la santé physique et mentale ainsi que pour l'avenir de nos enfants et de notre société.

*Vingt minutes par jour consacrées
à « muscler » son couple
augmente les bénéfices pour la santé
trois fois plus rapidement
que les exercices physiques.*

John Gottman

Le chantage

Dans tout couple, il existe nécessairement une certaine lutte pour le pouvoir. Celle-ci est très saine si elle se fait dans le respect et la confiance réciproques. Elle permet alors à chaque partenaire de prendre sa place dans le couple et d'exprimer ses attentes face à la vie à deux.

Malheureusement, de nombreux couples s'enlisent dans une lutte malsaine, une lutte à finir, où l'un cherche à avoir raison sur l'autre. On se retrouve alors dans un déséquilibre relationnel où l'un se soumet et l'autre fait du chantage pour obtenir ce qu'il veut.

Le chantage est un procédé utilisé pour obtenir de quelqu'un ce qu'on désire en employant des moyens de pression psychologique. Les principaux moyens utilisés par le manipulateur sont la jalousie, la faiblesse, le pouvoir, la servitude, la culpabilité et la peur.

La manipulation

La personne manipulatrice est souvent perçue en public comme sympathique, séduisante, charmante, altruiste, cultivée, mais elle se montre tyrannique dans l'intimité. Les manipulateurs sont des gens intellectuellement brillants, sachant manier la logique et l'argumentation, mais comme ils sont émotionnellement attardés et égocentriques, ils utilisent leurs ressources pour isoler leurs victimes de leur entourage et les dévaloriser afin de les garder sous leur pouvoir.

La personne objet de la manipulation est souvent avide d'amour et se sent redevable à celui qui lui démontre de l'attention. Au début de la relation, elle se sent mise sur un piédestal. Toutefois, avec le temps, elle en vient à douter d'elle-même et à perdre son estime et sa confiance personnelles. L'angoisse, la confusion, la culpabilité deviennent son lot quotidien. De nombreux symptômes psychosomatiques (insomnies, céphalées, eczéma, troubles respiratoires, etc.) prennent place lorsque la manipulation perdure. Dans les pires cas, cette relation pathologique mène à la dépression et au suicide.

Le manipulateur possède un âge psychoaffectif d'un enfant d'environ cinq ans. Son sens moral est peu développé et il n'éprouve aucune compassion ou empathie pour les autres. Son unique objectif est la satisfaction de ses besoins et désirs; il n'accepte aucune frustration. Lorsqu'il sent que son partenaire lui échappe, il sait se montrer gentil pour le reconquérir et mieux tisser sa toile autour de lui. Il ment facilement pour parvenir à ses fins. L'autre doit être à son service.

Être victime

La victime d'un manipulateur est généralement douée pour la générosité, mais elle se culpabilise facilement: « Tout est de ma faute. » Elle manque de confiance en soi et recherche quelqu'un qui semble sûr de lui. Elle nie souvent les évidences et refuse d'admettre la perversité de son partenaire. Elle croit que son amour viendra à bout de tout et l'aidera à guérir, car le fait d'admettre la vérité, après avoir tellement investi et pendant si longtemps, serait trop douloureux, trop inacceptable. C'est pourquoi il lui est si difficile de songer à la séparation.

Sortir de la dynamique complémentaire manipulateur-manipulé n'est pas simple[10] et exige beaucoup de doigté car les deux ont

---

10. Si vous vous êtes reconnu dans ce portrait, je vous suggère la lecture des livres d'Isabelle Nazare-Aga dont vous trouverez la référence dans la bibliographie.

besoin l'un de l'autre, tout en se détruisant l'un l'autre : ils sont codépendants. Le manipulé empêche le manipulateur de s'épanouir émotionnellement en ne s'affirmant pas ; le manipulateur empêche le manipulé de prendre la responsabilité de sa vie en l'étouffant d'attention et de contrôle. L'un et l'autre s'empêchent de grandir !

Les techniques de chantage

La jalousie	« Tu n'as pas le droit d'exister en dehors de moi. »
La faiblesse	« Je ne suis rien sans toi ; je n'ai d'existence que par toi. »
Le pouvoir	« Tu agis comme je veux, sinon je te quitte. »
La servitude	« Je te suis tellement utile que tu ne pourras jamais me quitter. »
La culpabilité	« Tout est de ta faute si ça ne marche pas entre nous. »
La peur	« Si tu me quittes, je te tue ou je me suicide. »

Intimité ou fusion

Il existe une grande différence entre l'intimité et la fusion. La fusion est tout sauf de l'intimité, car cette dernière implique une relation entre deux personnes différenciées. La fusion, quant à elle, veut faire disparaître les différences : elle exige la conformité.

La première angoisse

Pour mieux comprendre la différence entre fusion et intimité, retournons au sein maternel. Ce que chacun de nous a alors vécu était un état symbiotique parfait (à la condition que notre mère ait été une adulte saine et heureuse de sa grossesse, entourée de l'amour de son partenaire). Nous étions logé, nourri, chauffé, bercé, cajolé sans que nous ayons à faire aucun effort. Le paradis, quoi ! Pas besoin de nous occuper de notre survie, quelqu'un d'autre le faisait à notre place. Nous vivions à ce moment dans un état de totale dépendance fusionnelle bienheureuse. Et puis, un jour, panique : notre mère nous expulse ! Ce ne fut pas sans douleurs réciproques. Nous avons alors vécu notre première angoisse, notre premier traumatisme (disent les psychologues), notre première séparation, notre première peine d'amour, notre premier rejet. Une rupture toutefois nécessaire, sinon c'est l'étouffement assuré.

Heureusement, la vie possède un instinct qui la pousse à survivre, à rechercher le plaisir (dans la satisfaction des besoins) et à fuir le déplaisir (provoqué par la frustration de ces mêmes besoins).

Non seulement pour survivre fallait-il « sortir » du ventre de notre mère, mais pour vivre il faut aussi apprendre à nous différencier d'elle, de *l'autre*, et à compter sur nous pour la satisfaction de nos besoins.

De la dépendance à l'interdépendance

Ce processus de différenciation est un processus d'opposition, du moins au départ. De dépendant nous devenons donc contre-dépendant pour assurer notre survie. Ce processus prend environ vingt ans dans nos sociétés actuelles. L'objectif de ce processus est d'acquérir notre indépendance, laquelle nous permet de vivre selon nos principes personnels et nos propres règles de vie. L'indépendance n'est toutefois pas l'étape ultime du développement personnel.

L'indépendance, ou la liberté, ne signifie nullement la possibilité de faire tout ce que l'on veut, avec qui on le veut, quand on le veut, aussi souvent qu'on le veut, avec le nombre de personnes qu'on veut, où on le veut et de la façon qu'on le veut. Non, la liberté implique des responsabilités, le respect de ses engagements et des renoncements. L'étape ultime du processus de maturation n'est pas l'indépendance, mais bien l'interdépendance, puisque nombre de nos besoins et désirs nécessitent la présence et la participation actives d'une autre personne pour leur satisfaction.

La dépendance et la contre-dépendance sont les deux polarités de la codépendance. Le dépendant fait tout pour attirer l'attention de l'autre, alors que le contre-dépendant fait tout pour se détacher de la personne dont il dépend. La contre-dépendance n'est pas de l'indépendance, car la personne agit en réaction à une autre personne et non en fonction d'elle-même. Aussi paradoxal que cela puisse paraître, le contre-dépendant est… dépendant !

L'autonomie

La véritable intimité conjugale n'est possible qu'entre deux êtres ayant acquis leur autonomie et qui se sont hautement différenciés de leurs parents et de toute autre personne. Tout le reste n'est que fusion et confusion. Les personnes différenciées sont capables de vivre pour elles-mêmes, sans la croyance qu'elles ne peuvent vivre sans l'autre (dépendance fusionnelle du nourrisson) ou en constante opposition avec l'autre pour sauvegarder leur identité (contre-dépendance réactionnelle adolescente et antifusionnelle). Les personnes différenciées ne vivent pas en autarcie, car l'un de leurs besoins est justement d'être en lien émotif avec une autre personne tout aussi différenciée, permettant ainsi l'ouverture de soi et l'acceptation de l'autre.

L'intimité n'est possible qu'entre deux personnes qui maintiennent une certaine distance entre elles. Ces deux personnes différenciées peuvent alors développer une interdépendance pour l'établissement d'une relation intime et la satisfaction d'attentes légitimes. L'amour, basé sur la connaissance de l'autre en tant qu'autre, peut alors naître et se développer.

De la codépendance à la différenciation

4. L'interdépendance	Différenciation (autonomie)
3. L'indépendance	
2. La contre-dépendance	Codépendance (fusion)
1. La dépendance	

Chronique 20

L'amour peut tout !

Un jour, j'ai été invité à une émission télévisée très populaire pour répondre à la question : « L'homme et la femme peuvent-ils vivre ensemble ? » L'émission était enregistrée devant un public composé de personnes de tous âges et qui pouvaient intervenir dans ma discussion avec l'animatrice.

J'ai parlé du taux croissant de divorce et des nombreuses difficultés éprouvées par tous les couples lorsqu'une jeune fille est intervenue pour dire : « Quand on s'aime vraiment, on peut surmonter toutes les difficultés. » Le jeune homme, assis à côté d'elle, a acquiescé à son intervention, ainsi que les autres jeunes de l'assistance. J'ai toutefois remarqué quelques esquisses de sourires chez les personnes plus âgées de l'auditoire.

La base ou l'objectif ?

Voilà la première et la plus pernicieuse des illusions entretenues sur le couple depuis l'avènement du romantisme à la fin du XVIIIe siècle et de l'amour comme principale raison du mariage. Le problème, c'est que l'amour n'est pas la base de la relation, mais l'objectif de celle-ci. Au début d'une relation n'existent que l'attirance physique, les émotions intenses et les fantasmes. L'amour véritable, en tant que sentiment, nécessite la connaissance de l'autre. La passion, ou amour-émotion, n'est pas faite de connaissances, elle est faite d'espérance : l'espérance que l'autre va combler nos manques, nous aider à régler tous les problèmes de notre passé et, ainsi, vivre en harmonie et heureux pour le reste de nos jours.

C'est cet espoir naïf qu'exprimait cette jeune femme: que notre passion amoureuse survivra à toutes les épreuves. Or, la passion doit passer pour faire place à l'amour. Tous les couples expérimentés, ceux qui souriaient dans l'anecdote précédente, savent qu'il faut beaucoup plus que de l'amour pour vivre à deux heureux et long-temps. *Pour faire d'un couple un couple heureux, l'amour est certes nécessaire mais insuffisant.*

L'illusion de l'amour

Cette illusion est pernicieuse parce que, très rapidement, l'un ou l'autre des partenaires accusera l'amour d'être le responsable des difficultés du couple. «Si tu m'aimais vraiment, tu comprendrais…» ou «Si tu m'aimais vraiment, tu accepterais…». L'amour n'a géné-ralement rien à voir avec les difficultés conjugales, comme j'ai pu le constater à de multiples reprises chez les couples venus me consulter. Ce n'est pas l'amour qui est en cause, mais bien la croyance que «l'amour peut tout».

L'amour n'est pas tout-puissant et ne peut résoudre par lui-même les difficultés inhérentes à la vie de couple. Celles-ci sont créées par la vie de couple elle-même afin de permettre aux deux partenaires d'apprendre à mieux se confronter et, ainsi, mieux se connaître et possiblement s'aimer davantage. Par contre, l'amour grandissant peut faciliter l'acceptation des difficultés inévitables et en minimiser les impacts.

S'aimer, même en désaccord

Les couples heureux ne remettent plus leur amour en question lors de désaccords, contrairement aux couples fusionnels qui associent amour et accord. Les couples heureux savent que l'on peut s'aimer même si on est en désaccord. C'est pourquoi j'encourage mes clients à se dire leur amour réciproque au milieu d'une dispute : «Chéri, n'oublie pas que je t'aime!»

Pendant les crises conjugales, il est normal de devenir ambivalent face à notre partenaire et d'expliquer son ambivalence par un manque d'amour : «Si j'ai le goût d'être seul, est-ce que cela veut dire que j'aime moins mon partenaire?», «Si mon partenaire refuse de faire l'amour, est-ce parce qu'il ne m'aime plus?». Cette logique est très dangereuse car elle fait du manque d'amour le problème à résoudre, alors que l'ambivalence amoureuse est plutôt la conséquence de la crise, le symptôme d'un désaccord plutôt que sa cause.

Le fait d'accepter et d'apprendre à vivre avec des désaccords permet de passer plus facilement à travers les crises tout en préservant l'amour. Paradoxalement, pour être amoureux longtemps, il faut mettre l'amour de côté pendant les discussions et les conflits, sans parler du fait que chaque personne possède sa propre perception de ce qu'est l'amour.

Platon disait : « L'amour est aveugle. »
Beigbeder écrivait : « L'amour dure trois ans. »
Les deux parlaient de passion, non d'amour
véritable.

Les sexes : opposés ou complémentaires ?

Les hommes et les femmes sont égaux, mais sont-ils pour autant identiques ? L'égalité implique-t-elle nécessairement la similarité, ou peut-elle s'exprimer au-delà de nos différences ? Ces différences ne sont-elles que le fruit de notre éducation, ou sont-elles inscrites dans notre nature biologique ? Le débat nature contre culture est loin d'être terminé.

Lors de ses rencontres avec des couples, le psychologue Joe Tanenbaum[11] demandait aux participants ce qu'ils aimeraient changer chez l'autre sexe s'ils en avaient la possibilité. Les réponses des participants sont très significatives. En comparant les réponses des hommes et des femmes regroupées dans le tableau de la page 77, on constate trois choses :

1. Les deux sexes voudraient changer l'autre, donc ils acceptent difficilement qu'il y ait des différences ;
2. Les changements demandés par l'un et l'autre sexe correspondent aux caractéristiques du sexe demandeur, donc on voudrait que l'autre soit comme nous ;

---

11. Joe Tanembaum, *Découvrir nos différences entre l'homme et la femme*, Montréal, Éditions Quebecor, 1992.

3. Les changements demandés sont à l'opposé l'un de l'autre (sauf le 12e changement).

C'est ainsi que les femmes voudraient que les hommes communiquent davantage, cessent d'être si égoïstes et soient plus romantiques, alors que les hommes voudraient que les femmes compliquent moins les choses, fassent plus souvent l'amour et soient plus rationnelles.

La lutte pour le pouvoir

En comparant un à un les désirs de changements des hommes et des femmes, on a vraiment l'impression d'assister à une lutte pour le pouvoir où chacun essaie de démontrer à l'autre qu'il à raison d'être comme il est et que l'autre doit changer pour correspondre à l'image idéale que l'on s'en fait. Lorsque cette lutte s'est sclérosée et que chacun résiste aux désirs de changements de l'autre, tous deux s'accusent de mauvaise foi ou que l'un ou l'autre ne l'aime pas suffisamment parce qu'il refuse de changer dans le sens désiré. Tous deux croient que c'est une question d'amour ou de bonne volonté, ne sachant pas qu'il existe des différences de nature pouvant expliquer les difficultés de communication.

Les différences entre les hommes et les femmes doivent être reconnues, acceptées, valorisées et mises au service du couple, et non utilisées pour chercher à améliorer l'autre sexe. Il faut également cesser de croire que les différences entre l'homme et la femme ont été créées de toutes pièces pour asservir un sexe à l'autre. Ce ne sont que des différences, certaines biologiques, d'autres culturelles.

Le fait de reconnaître qu'il y a des différences de nature et non seulement de culture aiderait grandement à améliorer la communication entre les sexes. On peut s'aimer et être heureux même si notre vision du monde est différente. Le verbe «communiquer» se conjugue différemment selon que l'on est homme ou femme. La psychologie moderne, à l'aide des découvertes de la neuropsychologie, permet de mieux définir et de comprendre ces différences, des différences complémentaires quoiqu'elles puissent apparaître très souvent comme opposées.

Lorsqu'on demande aux membres d'un couple heureux à long terme le secret de leur bonheur, la réponse la plus fréquemment entendue est : «Je n'ai jamais cherché à changer l'autre. J'ai toujours accepté mon partenaire tel qu'il est. »

Les hommes et les femmes voudraient que...

Les hommes voudraient que les femmes...	Les femmes voudraient que les hommes...
1. parlent moins souvent.	1. parlent plus souvent.
2. réagissent moins de façon émotive.	2. expriment davantage leurs émotions.
3. se dépensent plus physiquement.	3. se dépensent moins physiquement.
4. soient moins romantiques.	4. soient plus romantiques.
5. veuillent faire l'amour plus souvent.	5. soient plus sensuels et moins génitaux.
6. s'occupent moins des autres.	6. se préoccupent plus des autres.
7. soient plus rationnelles.	7. soient plus spontanés.
8. s'occupent plus de leur carrière.	8. s'occupent plus de leur famille.
9. restent plus souvent à la maison.	9. sortent plus souvent.
10. soient moins sensibles.	10. montrent plus de compassion.
11. soient plus ponctuelles.	11. soient moins pressés.
12. se préparent plus rapidement.	12. se préoccupent plus de leur hygiène.

L'amour et l'argent

Sujet généralement évité au cours de la période de séduction et de lune de miel, l'argent devient rapidement l'une des sources de conflit conjugal les plus intenses. Pourquoi ? Parce que l'argent représente notre sentiment de sécurité. Certains intervenants disent même que nous gérons nos émotions et notre vie comme nous gérons notre argent. Ce n'est pas peu dire…

Il n'y a aucun problème lorsque les deux partenaires partagent la même attitude par rapport à l'argent. Toutefois, la réalité est que le sentiment de sécurité financière n'est pas équitablement réparti entre les deux partenaires : l'un veut vivre ici et maintenant, alors que l'autre veut assurer l'avenir.

Il est facile de comprendre pourquoi l'argent constitue, avec l'éducation des enfants, les deux principales sources de querelles conjugales… avant, pendant et longtemps après le divorce, lorsqu'il survient.

Établir un budget

Comment éviter que l'argent hypothèque l'amour ? En établissant un budget annuel. Pour certains, le fait d'établir un budget signifie mettre tout en commun dans un compte conjoint. Certains gèrent ensemble les dépenses du couple ; d'autres délégueront cette gestion à leur partenaire. Une autre façon de faire est celle du chacun pour soi. Par exemple, l'un s'occupe de l'hypothèque et des frais de la maison, et l'autre de l'épicerie et des dépenses des enfants, chacun assumant ses dépenses personnelles.

Toutefois, ces façons de faire sont fréquemment source de conflits à la longue ou à chaque dépense imprévue ou impulsive de l'un des deux conjoints.

Une gestion équitable

Les conseillers matrimoniaux suggéreront plutôt la stratégie suivante : un compte conjoint nécessitant deux signatures et deux comptes personnels et confidentiels. Les dépenses intégrées dans le budget conjugal et familial sont à la discrétion de chaque couple.

La gestion financière

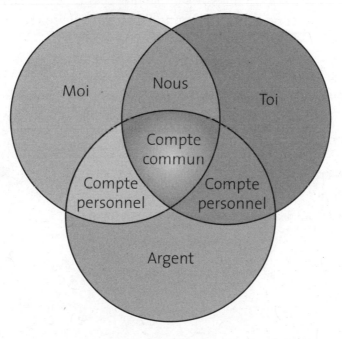

Une fois le budget établi, l'idéal est de le combler au prorata des revenus de chacun. La gestion du compte commun est ensuite confiée à celui des partenaires qui le veut bien, ou à celui qui possède des connaissances en gestion financière, ou encore à celui dont le sentiment d'insécurité est le plus élevé afin d'assurer une meilleure probabilité de surplus en fin d'année.

Imaginons un couple gagnant 100 000 $ au total, le premier 60 000 $ et le second 40 000 $, avec un budget familial établi à 50 000 $. L'idéal serait donc que le premier investisse 60 % du budget, soit 30 000 $, et l'autre, la différence, 20 000 $ ou 40 %.

Si un seul partenaire travaille à l'extérieur, l'autre s'occupant de la maison et des enfants, ce dernier devrait recevoir un salaire correspondant à 50 % de l'argent qui reste une fois le budget familial couvert, soit 25 000 $ dans l'exemple précédent. On pourrait alors parler d'une véritable équipe où les deux partenaires sont réellement égaux et autonomes.

Ce que chacun fait avec l'argent qui lui reste (le dépenser, faire des économies ou gâter son partenaire) ne regarde pas l'autre conjoint. Un seul est donc responsable du budget commun et fait un rapport de la situation financière du couple tous les trimestres ou tous les semestres. Ainsi, le couple évite les discussions émotionnellement chargées au sujet de l'argent, sauf au maximum deux à quatre fois par année, ou à demande, et non toutes les semaines, facilitant ainsi le bonheur à long terme.

L'argent et l'amour

Les erreurs à éviter
Ne pas parler d'argent avant de cohabiter.
Tout mettre en commun.
Tout partager en parts égales lorsque les revenus diffèrent.
Vivre au-dessus de ses moyens.
Souligner le fait que l'un gagne moins que l'autre.
Prendre seul le contrôle de l'argent du couple.
Se disputer devant les enfants à propos de l'argent.
Ne pas montrer aux enfants que l'argent se « gagne ».
Ne pas se garder une certaine autonomie financière.
Ne rien faire pour assurer l'avenir.

Chronique 23

La violence conjugale

Le fait d'aborder le thème de la violence conjugale est extrêmement délicat car cela soulève de fortes réactions émotives qui nous empêchent souvent de voir la vraie réalité. Celles-ci sont fortement influencées par le préjugé de « l'homme violent, la femme victime » et de l'impensable social de Sophie Torrent, travailleuse sociale suisse[12] : « l'homme victime, la femme violente ».

Comprenons-nous bien : il n'est pas question de minimiser la violence faite aux femmes, il n'y aurait qu'une seule personne (femme, homme ou enfant) battue au Québec que ce serait déjà une personne de trop. Mon objectif : mieux comprendre ce qui est en jeu dans la violence conjugale pour mieux intervenir.

La réalité statistique

Selon les rapports de police, il y aurait de douze à quinze femmes battues pour un homme. Ces rapports sont véridiques mais… partiels. Les hommes ne vont pas à la police ou ne consultent pas pour violence conjugale : ils craignent, avec raison, de ne pas être crus, d'être tournés en ridicule ou d'être accusés d'avoir provoqué cette violence. Pourtant, ils le devraient.

---

12. Sophie Torrent, *L'homme batttu. Un tabou au cœur du tabou*, Québec, Éditions Option Santé, 2002.

Des dizaines de recherches scientifiques démontrent une autre réalité de la violence conjugale : il y aurait presque autant d'hommes battus physiquement que de femmes. Une étude faite par l'Institut de la statistique du Québec conclut que « la violence du conjoint ou d'un ex-conjoint atteint un homme sur vingt-quatre et une femme sur dix-neuf[13] ».

Autre statistique encore plus surprenante rapportée par la *Gazette des femmes* (nov.-déc. 2005, p. 27) : « D'après Statistique Canada, le taux de violence conjugale chez les homosexuelles est le double de celui déclaré par les hétérosexuelles (15 % contre 7 %). » Karol O'Brien, cofondatrice du Groupe d'intervention en violence conjugale chez les lesbiennes de Montréal, estime plutôt ce taux à 22 % ou à 24 %.

Nous sommes loin de l'homme toujours bourreau et de la femme toujours victime qui ne devient violente que par légitime défense. La réalité est que dans 50 % à 70 % des couples violents, les deux le sont. Dans les cas où un seul émet de la violence, c'est autant ou presque le fait des femmes que des hommes.

Chacun est responsable de ne pas émettre de violence et de ne pas accepter que de la violence soit émise à son endroit.

De l'amour à la haine

L'important n'est pas de savoir qui est le plus violent, mais plutôt de comprendre comment deux êtres qui s'aimaient en arrivent à se taper dessus. Au-delà d'une certaine lutte normale pour le pouvoir entre deux partenaires, la violence conjugale est en fait la conséquence d'une dynamique action-réaction dans laquelle la réponse de l'un des partenaires au comportement de l'autre entraîne

13. http://stat.gouv.qc.ca/publications/conditions/violence_h-f04_pdf.htm.

des comportements de plus en plus inappropriés parce qu'ils sont de plus en plus émotifs.

Cette escalade, ou schismogenèse complémentaire, se produit parce que les hommes et les femmes ont des sensibilités différentes, parce qu'ils n'ont pas acquis certaines habiletés relationnelles (empathie, ouverture, communication, positivisme…) et parce qu'ils rendent les autres responsables de leurs besoins, de leurs émotions et de leurs frustrations. Le comportement est violent, mais la personne est souffrante. Il faut qu'elle soit vraiment très souffrante pour en arriver à taper sur la personne la plus importante de sa vie : la mère ou le père de ses enfants.

Aucune thérapie ne peut débuter avant que la personne prenne l'entière responsabilité de ses actions et réactions et cesse d'accuser l'autre d'en être responsable. Pourquoi, lorsqu'il s'agit de violence conjugale, est-ce si difficile d'accepter une coresponsabilité des conjoints dans la construction d'une situation qui mène inexorablement à l'explosion émotive et physique ? Comment expliquer autrement que des hommes et des femmes se retrouvent toujours dans des relations violentes, couple après couple ?

Les situations de violence conjugale

Comment réagiriez-vous si...
...en public, vous voyiez une femme gifler un homme ?
...vous aperceviez un homme et une femme en train de se battre ?
...un ami vous disait que sa femme le bat ?
...un couple se bat dans l'appartement d'à côté ?
...un policier arrêtait l'homme alors que c'est la femme l'agresseur ?
...vous étiez un homme battu par votre femme ?

Chronique 24

Les secrets des couples heureux (1)

L'observation des 15 % à 20 % de couples heureux à très long terme a permis aux psychologues de dénicher certains de leurs secrets. Quoiqu'ils aient été confrontés aux mêmes crises et aux mêmes conflits que les couples malheureux, les membres des couples heureux ont appris à réagir différemment. Voici leurs cinq premiers secrets.

Secret 1 : le partage du pouvoir

Les membres des couples heureux ont un rapport de force d'égal à égal. Ils partagent donc le pouvoir ou, du moins, ils l'alternent. Ils font le moins de compromis possible car, dans un compromis, les deux sont perdants. Ils sont exigeants face à leur couple, mais ils s'organisent pour qu'il y ait toujours deux gagnants. Ils ont décidé d'être heureux plutôt que de chercher à savoir qui a raison ou qui a tort. Contrairement aux couples malheureux, ils ne veulent pas l'approbation de leur partenaire, mais ils savent l'apprécier lorsqu'ils l'obtiennent.

Secret 2 : la juste distance

Les couples heureux ont appris à établir une juste distance entre leur besoin de fusion émotive et leur désir d'autonomie. Étant bien différenciés, ils sont alors capables d'une véritable intimité. Ils ont trouvé un équilibre entre des moments de frustration, qui entretiennent le désir, et des moments de satisfaction, qui ravivent leur bonheur. Ils ont compris que l'intimité n'est pas synonyme de fusion, mais qu'il fallait être deux pour être en relation. De plus, ils sont également heureux seuls qu'ensemble. Les couples fusionnels sont effectivement les plus dysfonctionnels.

Secret 3 : une véritable amitié

La base fondamentale des couples heureux à long terme, contrairement à la croyance populaire, n'est pas la passion, mais bien l'amour et l'amitié, soit un sentiment basé sur la connaissance réelle de l'autre et non sur l'intensité des sensations et des émotions. La passion a pu être à l'origine de leur attirance, mais celle-ci s'est lentement transformée en amour plus tranquille, en amour plus stable. Un couple heureux est formé de deux personnes qui, d'amants passionnés, sont devenus deux amoureux, deux parents, deux associés, deux amis qui continuent de faire l'amour ensemble et de réaliser des projets à court, à moyen et à long termes. Comme des amis, ils mettent l'accent sur ce qui les rassemble plutôt que sur ce qui les oppose. Ils considèrent l'autre comme un invité très spécial dans leur vie et ne lui manquent jamais de respect.

Secret 4 : le désamorçage

Les couples heureux vivent aussi des crises mais au lieu de remettre leur union en question, ils utilisent leur énergie et leur créativité pour développer l'art de la négociation. Loin de surenchérir, ils désamorcent toute escalade par des excuses, en faisant de l'humour ou en donnant raison à l'autre. Les psychologues disent souvent que c'est la façon dont les couples se font la guerre qui constitue le véritable indice de leur évolution, et non comment ils vivent en temps de paix. Les membres des couples heureux s'organisent pour ne jamais avoir besoin de dire : «Veux-tu qu'on efface tout et qu'on recommence à zéro?» Il est impossible de recommencer à zéro; on ne peut que continuer. On peut pardonner, mais on n'oublie jamais.

Secret 5 : le réalisme

Les membres des couples heureux ont lu, eux aussi, des contes de fées, des romans d'amour et visionné des films langoureux, mais ils ne les ont pas pris pour la réalité, même s'ils ont pu y rêver. Ils se sont rapidement défaits des nombreuses illusions entourant le couple, l'amour, la communication… Ils ont su renoncer à leurs perceptions adolescentes, égocentriques ou narcissiques de la vie à deux. Ils savent que la fameuse âme sœur n'existe que dans leur tête et ils ont accepté leur partenaire dans sa réalité quotidienne, avec ses qualités et ses défauts. Ils minimisent les défauts et exploitent les qualités.

 Il n'y a qu'un devoir : c'est d'être heureux.

Diderot

Chronique 25

Les secrets des couples heureux (2)

Voici cinq autres secrets des couples heureux à long terme. Plusieurs ont été découverts par l'équipe du psychologue John Gottman[14] dans son laboratoire de l'amour.

Secret 6 : un partenaire approprié

On dit que les contraires s'attirent, mais la science conjugale démontre que les partenaires qui se ressemblent, dans une proportion d'au moins 70 %, augmentent considérablement leurs probabilités d'être heureux ensemble. Loin d'avoir trouvé la fameuse âme sœur, laquelle n'est qu'illusion, les membres des couples heureux sont suffisamment compatibles pour éviter la polarisation sur les conflits conjugaux insolubles ; ils s'assurent ainsi stabilité et bonne entente. En outre, ils sont suffisamment différents pour s'influencer l'un l'autre, stimulant ainsi leur créativité et leur capacité d'évoluer dans la même direction.

Secret 7 : la confiance réciproque

Aucune relation – amoureuse, professionnelle ou commerciale – ne peut survivre si celle-ci n'est pas empreinte de confiance réciproque, de respect mutuel et d'admiration. Les membres des couples heu-

---

14. John Gottman et Nan Silver, *Les couples heureux ont leurs secrets*, Paris, Éditions JC Lattès, 1999.

reux ne se surveillent pas l'un l'autre. Même lorsqu'ils ne sont pas en accord, ils respectent le point de vue de l'autre et ne mettent pas en doute leur bonne foi. Même si l'un n'approuve pas les projets personnels de l'autre, il le soutiendra, moralement et financièrement, afin qu'il les réalise.

Secret 8 : l'acceptation des conflits

Contrairement à la croyance populaire, le couple n'est pas une garantie absolue de bonheur. Il serait plutôt le creuset de nombreux conflits : l'éducation des enfants, la gestion financière, les relations avec les belles-familles, le partage des tâches ménagères, le temps accordé à la vie privée, la sexualité. Les membres des couples heureux se sont rapidement rendu compte que la majorité des conflits tournant autour de ces six sources sont souvent insolubles (69 % selon l'équipe du psychologue John Gottman). Ils ne s'acharnent donc pas à les résoudre en en parlant continuellement et se mettent d'accord pour vivre avec des désaccords à vie. Ils préfèrent être heureux et préserver leur amour.

Secret 9 : l'acceptation des inégalités

Les membres des couples malheureux surveillent et calculent ce que l'un fait et l'autre ne fait pas. Ils cherchent à imposer la règle du donnant, donnant, ce que ne font évidemment pas les membres des couples heureux. Ceux-ci acceptent qu'il puisse y avoir une répartition inégale et variable des salaires, des tâches ménagères, des soins aux enfants… Ils reconnaissent qu'il peut y avoir des modes de fonctionnement différents selon le sexe. Ils ont renoncé à la fameuse égalité, ou similarité, entre les hommes et les femmes. Ils laissent chacun être et agir selon sa nature et ses convictions.

Secret 10 : le jardin secret

Les membres des couples heureux ne communiquent pas toutes leurs pensées, tous leurs actes, toutes leurs frustrations ou tous leurs emmerdements. Ils ne croient pas à la communication à tout prix ni qu'il faille tout se dire dans un couple. Chacun a droit à sa vie privée, à ses pensées secrètes, à des désirs inavouables, mais à la condition que ce jardin secret ne sape pas les bases de leur relation. Tout peut et devrait pouvoir se dire, mais aucune obligation n'est faite en ce sens. Un peu de réserve et un peu de mystère sont nécessaires pour l'entretien du respect et de la séduction à long terme.

*Les membres des couples heureux
ont décidé de préserver leur bonheur
plutôt que de chercher à avoir raison sur l'autre.*

Chronique 26

Le couple, un projet de vie

Le fait de trouver un partenaire amoureux et sexuel est l'une des principales activités humaines. Mais pourquoi former un couple? Quels sont les objectifs du couple? Quels besoins le couple satisfait-il?

Un projet biologique

Selon certains généticiens, nous ne sommes que des «moyens de transport pour assurer la survie de nos gènes[15]». La passion (le sexe) et l'amour seraient une émotion et un sentiment créés par la nature pour amener deux personnes à s'unir pour se reproduire et susciter un attachement suffisamment long pour assurer la stabilité nécessaire à l'éducation des petits humains. Le mariage, invention plutôt récente, permet ainsi à la femme de s'attacher un pourvoyeur et assure à l'homme sa paternité.

Un projet psychosociologique

Avec le prolongement de l'espérance de vie, l'humain consacre moins de temps et d'énergie à la reproduction et à l'éducation des enfants. Le couple satisfait d'autres besoins que biologiques; ceux-ci sont nombreux:

• un besoin d'appartenance;
• un besoin d'aimer et d'être aimé;

---

15. Bryan Sykes, *La malédiction d'Adam. Un futur sans homme*, Paris, Albin Michel, 2004.

- un besoin érotique ;
- un besoin de communication ;
- un besoin d'entraide ;
- un besoin de sécurité ;
- un besoin d'évolution.

L'humain est fondamentalement un être social qui a besoin d'établir des liens avec ses semblables. La famille constitue le premier groupe auquel appartient un individu mais, pour devenir lui-même, il doit se détacher de sa famille originelle et en former une nouvelle. Le couple permet cette transition entre les deux familles et la formation d'un nouveau groupe pour satisfaire ce besoin d'appartenir à un réseau relationnel. Selon le psychologue Abraham Maslow, « le couple constitue le meilleur antidote à la solitude ».

Chaque humain a besoin de se sentir apprécié, valorisé, approuvé, aimé, et chacun de nous a besoin de quelqu'un à aimer et à qui se dévouer. Le fait d'être aimé nous rassure dans notre estime de soi. Avoir quelqu'un qui nous aime pour ce que nous sommes flatte notre ego, rassure notre narcissisme et stimule notre altruisme. Au-delà de la reproduction, les humains aimés et aimants transforment leur sexualité en source de plaisir et d'échange de tendresse.

Deux personnes vivant ensemble ont plus souvent l'occasion d'échanger entre elles que celles qui se trouvent seules dans leur appartement. Les couples heureux à long terme développent même un langage fait de signes (*inside language*) dont eux seuls connaissent la signification. Certains arrivent même à un certain langage télépathique.

Le couple constitue normalement une association entre deux complices qui s'entraideront sur le plan économique, certes, mais aussi sur les plans émotif et psychologique. Cette entraide se manifeste par des encouragements à réaliser des projets personnels ou à valider les décisions de l'autre, à l'aider à s'affirmer ou à lui offrir une épaule ou une oreille pour s'épancher. Ai(m)er vient du verbe ai(d)er.

Le fait d'être deux tranquillise, rassure, apaise, console. Savoir que je peux compter sur quelqu'un pour m'entendre, me recevoir, me réconforter si nécessaire calme mon discours intérieur, dédramatise mes scénarios de catastrophes et me donne confiance en l'avenir, car le fait d'être deux est plus fort que le fait d'être un. Le couple non seulement nous sécurise, mais nous encourage aussi à aller de l'avant.

Un projet d'épanouissement personnel

Un autre objectif du couple consiste à favoriser l'acquisition d'un meilleur sens de l'identité et à acquérir des capacités de mutualité et de dévotion dans un rapport d'intimité en sortant l'adolescent de son égocentrisme, en lui permettant de tenir compte de la volonté d'une autre personne. Le couple contribue à l'acquisition de la «générativité», soit la capacité de se reproduire, de produire des biens par le travail et de créer un milieu de vie facilitant la croissance personnelle des membres du couple, de la famille et de la société en général.

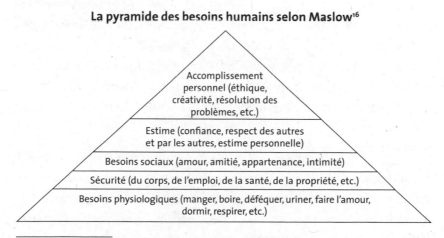

La pyramide des besoins humains selon Maslow[16]

Accomplissement personnel (éthique, créativité, résolution des problèmes, etc.)

Estime (confiance, respect des autres et par les autres, estime personnelle)

Besoins sociaux (amour, amitié, appartenance, intimité)

Sécurité (du corps, de l'emploi, de la santé, de la propriété, etc.)

Besoins physiologiques (manger, boire, déféquer, uriner, faire l'amour, dormir, respirer, etc.)

---

16 http://fr.wikipedia.org/wiki/Pyramide_des_besoins_de_Maslow, page consultée le 22 novembre 2009.

Chronique 27

Dites : « Je t'aime ! »

Le temps des fêtes est un moment privilégié pour les retrouvailles familiales. Mais, paradoxalement, c'est aussi un moment de tension pendant lequel des conflits larvés explosent. De nombreux couples en difficulté ont tenté de suspendre temporairement leurs conflits durant cette période, mais leurs tentatives d'apaisement ont souvent donné un résultat inverse.

De joyeuses retrouvailles ?

Je reçois souvent des hommes et des femmes qui me demandent quand et comment annoncer à leur partenaire leur désir de le quitter et comment faire part de cette décision aux enfants sans les traumatiser. Plusieurs se disent : « Laissons passer le temps des fêtes et, après, je leur annoncerai. » C'est l'une des raisons qui expliquent pourquoi ces réunions familiales ne se déroulent pas toujours dans une atmosphère aussi festive qu'elles le devraient, chaque membre de la famille percevant intuitivement qu'il se passe quelque chose.

Lorsque ces réunions englobent la famille élargie et la belle-famille, les sources de conflits potentiels se multiplient : l'oncle tannant toujours en train de faire des farces grivoises ; la tante alcoolique qui envahit tout un chacun qui *veut bien* l'écouter ; le beau-frère aux mains baladeuses ; la belle-sœur indiscrète qui révèle certains secrets ; les enfants qui courent partout et ne cessent de crier ; l'organisatrice en chef qui se retrouve finalement la seule à ne pas vraiment s'amuser ; son partenaire qui veut bien l'aider, mais à sa façon et non comme elle le voudrait…

Sans oublier tous les ragots qui se feront les jours suivants sur la façon dont la soirée s'est déroulée ou aurait dû se dérouler. Combien de couples et de familles sont sortis meurtris d'une période qui aurait dû être faite de joyeuses retrouvailles entre gens qui s'aiment ? Combien se disent qu'on ne les y reprendra plus, mais qui se proposent l'année suivante pour organiser le *party*, pensant faire mieux.

Les sentiments positifs

Les recherches effectuées par le neuropsychologue allemand Stefan Klein[17] ont démontré que l'expression de nos émotions trace un sentier dans les neurones correspondants et nous rendent plus émotif. Le fait d'exprimer souvent votre colère vous rendra plus irritable ; le fait de pleurer accentuera votre dépression. Il en va de même pour la culpabilité, la peur. Bonne nouvelle : ce qui est vrai pour les émotions dites négatives l'est aussi pour la joie, base de l'enthousiasme et de l'amour.

Comme le dit si bien le Petit Prince : «C'est le temps accordé à ma rose qui rend ma rose importante.» Le fait de mettre de côté les rancunes, les frustrations, les mauvais souvenirs pour mettre l'accent sur le présent et sur les sentiments positifs vous fera du bien et vous rendra plus heureux. Si, en plus, vous prenez le temps de considérer votre partenaire comme une personne très importante et vous lui exprimez votre amour, en paroles et en gestes, vous deviendrez de plus en plus amoureux, selon la thèse du neuropsychologue et que je fais mienne à 100 %. Plus vous exprimez une émotion, plus il devient facile de l'exprimer. Comme les émotions

---

17. Stefan Klein, *Apprendre à être heureux. La neurobiologie du bonheur*, Paris, Robert Laffont, 2002.

sont contagieuses, à vous de choisir celle que vous voulez transmettre : l'amour ou la guerre ?

Si vous ne prenez qu'une seule résolution, prenez celle de dire beaucoup plus souvent, au cours des années qui viennent, les trois mots magiques : «Je t'aime.» Dites-le à votre partenaire et à vos enfants ; à vos parents (avant leur grand départ), à vos frères et à vos sœurs au-delà des rancunes accumulées. Dites à votre belle-famille que vous l'appréciez, à vos amis. Dites-le en les touchant : ils en seront touchés. Je vous garantis que le prochain temps des fêtes sera vécu dans un climat plus harmonieux. Ce sera le plus beau des cadeaux.

Les émotions de base

La joie

La colère

La tristesse

La peur

Chronique 28

Quand et comment rompre ?

Le mois de janvier me semble propice aux ruptures. Plusieurs ont préféré attendre que le temps des fêtes soit passé pour annoncer à leur partenaire leur décision et celle-ci est rarement prise d'un commun accord. Souvent, le partenaire ne s'y attendait pas, ni les enfants. D'où la difficulté de l'annonce et le drame qui s'ensuit.

Un moment difficile ou une relation difficile

Tout couple mérite d'être sauvé. Il est donc très important de mûrir cette décision qui affectera la personne qui quitte (l'Initiatrice), la personne qui est quittée (l'Abandonnée) et les enfants, lorsqu'il y en a. Tous, un jour ou l'autre, remettent leur couple en question et pensent à la séparation. Rien de plus normal, surtout lorsque le couple traverse un moment difficile, comme une perte d'emploi, une infidélité, le départ des enfants…

Il faut toutefois faire la distinction entre un moment difficile qui, une fois surmonté, peut renforcer le couple et une relation devenue difficile ou impossible à vivre (violence verbale ou physique, manipulation, etc.). Ces relations provoquent une perte d'estime de soi, de confiance en soi et en l'autre. Avant de partir, l'Initiatrice devrait se poser les quatre questions suivantes. D'ailleurs, il est évidemment souhaitable d'aller en thérapie conjugale pour vous assurer que tout a été tenté avant de prendre votre décision finale.

Les questions à se poser avant de partir

Est-ce que les bénéfices que je retire de cette relation
sont plus importants que ce qu'il m'en coûte ?

Est-ce que mes attentes face au couple sont réalistes ?

Est-ce que je reste avec mon partenaire pour d'autres raisons que l'amour ?

Si la relation ne change pas, en voudrais-je encore dans cinq ans ?

Quand quitter ?

Il n'y a pas de bon moment pour annoncer votre décision. Il est toutefois préférable de ne pas annoncer votre décision au moment où l'Abandonnée vit un stress important comme une maladie, une perte d'emploi, une mortalité dans sa famille. Il vaut mieux profiter d'une période où le partenaire semble en meilleure forme physique et mentale. Le traumatisme de l'annonce ne s'ajoutera pas au stress déjà présent.

Comment quitter ?

Là non plus, il n'y a pas de bonne façon de minimiser l'impact de l'annonce d'une rupture. Même si votre partenaire n'était pas satisfait de la relation, il ne pensait pas que pour vous, elle était devenue si intolérable. Il espérait même que les choses s'arrangeraient.

Le plus simple est probablement la méthode la plus directe, quoique la plus douloureuse. Chose certaine, l'Initiatrice, malgré son désir ou son sentiment de culpabilité, ne peut en aucun cas être de quelque secours que ce soit pour l'Abandonnée, et ce, pour deux raisons :

1. l'Initiatrice ne peut être à la fois cause et remède ;
2. chaque expression de compassion ravive l'espoir
   de l'Abandonnée.

Aussi cruel que cela puisse paraître, l'Initiatrice, en dehors du processus de médiation et de l'échange des enfants, doit disparaître le plus possible de la vie de l'autre afin de lui permettre de surmonter son chagrin d'amour plus rapidement. L'Initiatrice peut toutefois avertir la famille et les amis que son partenaire risque d'avoir besoin de leur aide.

Et les enfants ?

Les deux parents devraient leur annoncer ensemble la nouvelle. Il est alors très important de leur faire comprendre que ce sont les deux amants qui se séparent et qu'ils ne sont pas la cause de leur séparation, les enfants ayant une forte tendance à se culpabiliser. Il faut leur dire que les deux parents continueront d'aimer leurs enfants qui, eux, ont le droit de continuer à aimer leurs parents, afin d'éviter des problèmes de loyauté de leur part. Surtout, le plus difficile, il faut éviter de prendre les enfants en otage. À surveiller : l'enfant qui souffre le plus de la séparation est généralement celui qui réagit le moins.

 Si vous n'avez pas « réussi » votre mariage, au moins réussissez votre divorce !

Survivre au divorce

Vous voilà seul, infiniment seul. Vous venez de vous séparer et votre divorce sera prononcé dans un an. Tous vos rêves se sont envolés et vous ne savez pas si cela vaut la peine de continuer. Après cinq, dix, quinze ans ou plus, ainsi qu'un ou deux enfants, vous vous retrouvez en mille miettes, avec une multitude de questions sans réponses. Que faire?

Les étapes du deuil

1. Le refus
2. La tristesse
3. La colère
4. La résignation
5. L'acceptation

Surtout, évitez de vous retrouver dans les bras de la première personne qui veut vous consoler, de courir les bars, de vous abrutir dans le travail ou de vous consacrer exclusivement aux besoins des enfants. Ce faisant, vous ne feriez que retarder le deuil nécessaire au divorce et le travail de reconstruction que seuls le silence et la solitude peuvent vous permettre de faire. Que vous ayez initié ou non le divorce, vous devrez passer par les cinq étapes d'une peine d'amour, un travail de six à douze mois.

Retrouver son moi intérieur

Ce travail possède un objectif capital : vous aider à comprendre ce qui s'est passé pour éviter de recréer le même scénario et vous retrouver dans la même situation, cinq ans plus tard, avec un autre divorce sur les bras et un enfant en plus. Le fait de comprendre ce qui s'est passé signifie devenir conscient de votre responsabilité dans cette séparation, non de votre culpabilité : qu'avez-vous apporté (ou non) dans votre couple et comment avez-vous réagi à ce que votre partenaire a (ou non) apporté dans le couple ?

Ce travail ne sera terminé que le jour où vous aurez pris l'entière responsabilité (à 100 %) de vos actions et réactions, même si vous n'êtes que coresponsable du couple et n'ayez pas initié la séparation. Il vous faut prendre conscience que vous avez influencé (et continuerez d'influencer) l'évolution de ce couple maintenant défait. N'oubliez pas que ce sont les deux amants qui divorcent ; en tant que parent, vous êtes lié à vie avec votre ex et vous aurez à négocier encore avec lui.

La vie après le divorce

Vous aurez certes besoin de laisser la poussière retomber et les émotions (colère, tristesse, désespoir…) s'estomper avant d'analyser plus froidement votre situation. Mais si vous ne profitez pas de cette période de solitude, choisie ou imposée, pour vous remettre en question et revoir vos croyances et vos scénarios en profondeur, je vous assure que vous répéterez les mêmes erreurs lors de votre prochaine relation.

Une séparation est une occasion rêvée, quoique souffrante, de faire une mise au point : regarder le chemin parcouru depuis votre naissance, faire le bilan de votre vie actuelle, faire le tri entre vos croyances illusoires et vos croyances réalistes, planifier la prochaine partie de votre vie selon vos réels besoins et non pas, ou non plus, selon les attentes des autres ou de la société. Vous vous devez d'effectuer cette conscientisation et cette responsabilisation de votre vie passée si vous voulez l'améliorer.

Les faits et les conséquences

Dès que l'on forme un couple, on risque de divorcer. Actuellement, au Canada, 48 % des premiers mariages se terminent par un divorce ; pour les deuxièmes mariages, le taux grimpe à 72 % ; et, pour les troisièmes unions, à 85 % (selon le site http ://www.divorcerate.org/ divorce-rates-in-canada.html). Pour les unions libres (cohabitation), il faut augmenter ces taux de 10 % à 15 %.

Selon les pays, les divorces sont initiés par les femmes dans 65 % à 80 % des cas. L'une des conséquences les plus dramatiques de cette situation lorsqu'il y a des enfants est que, un an à peine après le divorce, 50 % des enfants ne revoient plus jamais ou que très rarement leurs pères.

La vie existe après le divorce et elle est souvent meilleure.

Êtes-vous un couple stressé ?

Trop de stress conduit au *burnout*, considéré comme la maladie du xxie siècle. À l'inverse, pas assez de stress mène à la déprime. Comme on ne peut vivre sans stress, que faire pour avoir un stress harmonieux (un *eustress*, dit Hans Selye, créateur du concept) permettant d'assurer notre bonheur de vivre et de vivre à deux ?

À la longue, les problèmes fonctionnels (insomnies, troubles alimentaires et respiratoires, hypertension, difficultés sexuelles…) occasionnés par le stress peuvent se développer en maladies : ulcères, cancers, fibromyalgie, infarctus, etc., d'où la nécessité d'intercaler des moments d'accalmie.

Les sources de stress

Nous savons qu'à l'intérieur du couple six sources de conflits sont générateurs de frustrations et de stress : l'éducation des enfants, le budget, les relations avec les belles-familles, le partage des tâches ménagères, le temps accordé à la vie professionnelle et la sexualité. Plus les deux membres du couple sont partagés sur l'importance à accorder à chacune de ces dimensions et sur la façon de gérer ces sources de conflits, plus le niveau de stress sera élevé.

À ces sources normales de stress conjugal s'ajoute la crise financière et économique actuelle. D'après un sondage mené en octobre 2008 par la maison Harris/Décima, à la demande de la compagnie

Sunbeam, plus d'un Canadien sur deux se déclare «plutôt stressé à extrêmement stressé», et plus de 25 % ne se rappellent pas ne pas avoir été stressés.

Les plus grands facteurs de stress actuels sont d'ordre financier : la hausse du coût des denrées alimentaires (72 %), les préoccupations financières (62 %), la dégringolade des marchés boursiers (54 %), le travail (42 %). Or, on sait que la sécurité financière constitue la deuxième plus grande source de conflits conjugaux, comme nous le démontrent certains drames familiaux survenant annuellement.

L'expression du stress

Les comportements les plus révélateurs de stress qui vous permettent de vérifier si votre partenaire ou vous êtes stressés sont les suivants : augmentation de l'impatience et de l'irritabilité (54 %), plus grande fatigue et lassitude (50 %), difficulté à l'endormissement, dans la continuité du sommeil ou réveil précoce (41 %).

Les femmes auront tendance à dire leur stress, à moins ou à plus manger et à pleurer plus souvent. Quant aux hommes, ils deviennent plus bougons, ont tendance à s'enfermer dans le silence et à exploser occasionnellement, pour un rien. Si vous observez l'un ou l'autre de ces comportements, surtout ne vous sentez pas visé : votre partenaire est victime de stress et risque soit le *burnout*, soit la dépression.

Que faire ?

Vous pouvez faire beaucoup pour que les stress[18] de la vie et de la vie à deux n'hypothèquent votre relation. Tout d'abord, vous rappelez l'essentiel : vous êtes en vie et en couple même si vous passez un moment difficile. Définissez en couple vos priorités person-

---

18. Pour évaluer votre niveau de stress, consultez l'échelle de stress de Holmes et de Rahe sur le site Passeport.Santé : http://www.passeportsante.net/fr/VivreEnSante/Tests/Fiche.aspx?doc=stress_ts.

nelles, conjugales et familiales; diminuez temporairement vos attentes et planifiez votre budget, quitte à reporter la réalisation de certains projets afin de respecter votre budget ou à accepter, comme nos gouvernements s'apprêtent à le faire, à vivre temporairement avec un déficit, en attente de temps meilleurs.

Relaxez!

Vous pouvez aussi intégrer la détente et le rire à vos habitudes de vie, ainsi que des moments de relaxation. Rappelez-vous que les membres des couples heureux vivent plus longtemps et sont 35 % moins souvent malades. D'après le sondage de Harris/Décima, 80 % des Canadiens estiment qu'être réconfortés par leur conjoint est «très important à extrêmement important» pendant les périodes stressantes, ainsi que la possibilité de passer du temps seul pour réfléchir sans réaction négative du conjoint (62 %). Un dernier élément soulevé par 60 % des répondants: la possibilité de dormir en paix et confortablement. Le lit ne doit jamais devenir une arène de lutte, mais rester un terrain de jeu ou de détente. On ne discute pas au lit; on s'aime, en silence ou en action.

En période de stress,
les femmes parlent sans réfléchir;
les hommes, eux, agissent sans réfléchir.

Allan Pease

Chronique 31

Le couple :
hier, aujourd'hui, demain

Depuis cinquante ans, les styles de vie se sont multipliés. Auparavant, la vie adulte évoluait de façon linéaire : célibat, mariage, veuvage. À l'occasion, il y avait un second mariage. Aujourd'hui, les adultes connaissent plusieurs styles de vie : des périodes de célibat entrecoupées de cohabitation, deux mariages, autant de divorces, un veuvage...

En deux générations, nous sommes passés de familles nucléaires et pleines d'enfants à des familles comptant moins de deux enfants en moyenne et à des familles monoparentales et recomposées. Sans parler des couples homosexuels, gais ou lesbiens.

La conformité contre la diversité

La Cour supérieure devra bientôt se prononcer sur la saga «Lola-Éric[19]». Au-delà du procès entre deux conjoints de fait se profile un débat millénaire : la diversité contre la conformité. On doit certes

---

19. La saga Lola-Éric, que tous connaissent mais dont nous devons taire les noms, fait référence à une poursuite entamée par une femme conjointe de fait, mère de trois enfants et profitant déjà d'une généreuse pension alimentaire pour elle-même et les enfants. Elle réclamait la moitié de la fortune de son conjoint milliardaire. La demande fut déboutée, car la juge a refusé d'accorder aux conjoints de fait les mêmes droits que ceux octroyés aux conjoints mariés et en a référé au législateur. Pour en savoir davantage : http://www.pfdlex.com/fr/colonne-juridique-La-saga-de-Lola-vs-eric---Prise-1!-081.

établir des règles pour rendre la vie en société possible, règles auxquelles tous sont tenus d'obéir, mais doit-on aussi réglementer la
vie privée de la même façon ?

Doit-on et peut-on imposer un contrat unique de mariage à tous
les hommes et à toutes les femmes qui veulent s'unir ? Ou laissera-
t-on chaque personne libre de négocier un contrat de bonne entente
entre deux personnes jugées de bonne foi et responsables de leurs
actes ? Évidemment, la liberté et la responsabilité ne peuvent
s'exercer de façon efficace que dans la connaissance de ses droits
et obligations. Aux yeux de la loi, nous devons tous agir en bon père
ou en bonne mère de famille et l'ignorance de la loi ne peut être
invoquée comme facteur atténuant.

Le statut particulier du Québec

La société québécoise a grandement évolué depuis la révolution
tranquille des années 1960. Nous sommes considérés, avec la
Suède et la Norvège, comme un pays où l'égalité de droits et de
faits entre les sexes est la plus avancée. Après avoir longtemps
traîné la patte derrière le reste du Canada, nous sommes maintenant la province championne pour le taux de divorce.

Nous sommes aussi les champions mondiaux pour le plus bas
taux de nuptialité : 2,9 pour 1 000 habitants (Institut de la statistique
du Québec, 2007). À titre de comparaison, la France, en deuxième
position, a un taux de mariage de 4,2 ; le Canada, 4,7 ; les États-
Unis, 7,4. Nous sommes aussi les champions de la cohabitation :
près d'un couple sur trois, alors qu'ils sont 18 % dans le reste du
Canada. Et, semble-t-il, c'est au Québec que la cohabitation fonctionne le mieux et le plus longtemps.

L'homme et la femme devant l'engagement

Serait-ce que nous aurions peur de l'engagement à long terme ?
Serait-ce que les hommes, surtout, ont peur de s'engager ? Je
constate, en raison de mon expertise, qu'il est peut-être plus

difficile pour un homme de dire «Je t'aime» la première fois, mais lorsqu'il le dit, il le dit généralement pour la vie et ne sent pas le besoin de le répéter constamment.

D'un autre côté, les statistiques indiquent que les femmes initient les divorces dans 65 % à 80 % des cas. Elles veulent peut-être s'engager plus rapidement, mais la durée de l'engagement leur semble plus pénible. Selon la sociologue Évelyne Sullerot, le désenchantement est la raison principale qui les pousse vers le divorce. À moins que leurs conjoints ne fassent tout pour leur rendre la vie tellement routinière et difficile qu'ils les poussent à vouloir les quitter.

L'avenir du couple

Conjoints de fait, union libre, mariage civil, mariage religieux, VCCS (vivant chacun chez soi)… Que choisir? L'État devrait, à mon avis, légiférer deux types d'union: une *union amoureuse*, sans véritables engagements légaux et facilement dissoluble advenant la perte du lien amoureux; et une *union parentale*, qui unirait les deux partenaires à vie (ce qui est déjà le cas), qui comporterait des responsabilités beaucoup plus grandes et qui prévoirait dès le départ les conséquences d'un divorce sur la garde alternée des enfants, le partage du patrimoine et la pension alimentaire en fonction des revenus de chacun.

On éviterait ainsi qu'un couple vienne laver son linge sale en public, au détriment des enfants, des femmes et des hommes. Et, comme l'expérience de quelques États semble le démontrer, le taux de divorce baisserait si aucun des deux partenaires ne «profitait» d'un divorce.

Chronique 32

La Saint-Valentin et la séduction

La Saint-Valentin remonte au IVe siècle avant notre ère. Les Romains, en hommage au dieu Lupercus, procédaient au sacrifice d'animaux et, par tirage, au jumelage entre jeunes hommes et jeunes filles. Ceux-ci étaient censés se fréquenter toute l'année. Parfois, les couples devenaient amoureux et se mariaient. Ce rituel, nommé Lupercales ou fête de la fertilité, soulignait le passage vers l'âge adulte.

En l'an 496, le pape Gelase Ier, trouvant ce rituel inacceptable, remplaça ce dieu par Saint-Valentin, en référence à trois saints différents, tous martyrs[20]. Le 14 février est ainsi devenu la fête des amoureux, lesquels en profitaient souvent pour se fiancer ; dans certains pays (dont les États-Unis), elle est aussi considérée comme la fête de l'amitié. Elle est en outre synonyme de séduction.

Les étapes de la séduction

Séduction signifie « amener à l'écart pour obtenir des faveurs ». Les étapes et les rituels de la séduction sont universels, à quelques nuances près. On les trouve à la fois dans le monde animal et humain. Dans toutes les espèces, c'est la femelle qui est le sujet de la séduction et le mâle, l'objet de la séduction. Chez les humains,

---

20. http://fr.wikipedia.org/wiki/Saint-Valentin (page consultée en février 2010).

on croit que c'est l'homme qui doit séduire la femme, mais il est impossible de séduire une femme qui ne le désire pas, sous peine d'être traité de harceleur. Le chasseur n'est pas nécessairement celui que l'on imagine.

Première étape, pour séduire, il faut d'abord attirer l'attention. Partout, les femmes vont mettre en valeur leurs charmes physiques et les hommes, leur puissance et leurs richesses. Les hommes paradent et les femmes provoquent. Les hommes recherchent la jeunesse et la fertilité, et les femmes, la puissance et la sécurité, nous disent les anthropologues.

Deuxième étape, les regards se croisent. Si le regard intrusif de l'homme rencontre le regard réceptif d'une femme, il se produit alors une étincelle remplie de promesses. Si la femme sourit, si elle fait virevolter sa chevelure, l'homme a la permission d'avancer, sinon ses chances sont minces.

Troisième étape, la conversation. Ne cherchez pas une entrée spectaculaire, vous serez rabroué (voir à ce sujet le tableau de la page suivante). Le contenu de la conversation n'a pas vraiment d'importance, mais cherchez un sujet qui puisse quand même intéresser votre partenaire potentiel. Plus important est le ton de votre voix, lequel révèle vos intentions et signe votre origine et votre éducation.

Quatrième étape, le premier toucher est initié à 75 % par la femme qui, du bout des doigts, effleure le bras, l'avant-bras ou le dessus de la main du soupirant. Une manière de dire : « Vous m'intéressez, Monsieur, continuez. » Commence alors l'étape ultime, la « danse de l'amour » dont l'objectif est l'apprivoisement des partenaires. Trop rapide, vous risquez d'effaroucher ; trop lent, d'ennuyer. Vous savez que votre processus de séduction a réussi lorsque vous tombez amoureux.

Mesdames, touchez et valorisez vos amants.
Messieurs, écoutez et parlez à vos amantes.

Entretenir la séduction

Tomber amoureux est relativement facile, mais faire durer cet amour est une autre paire de manches. La séduction et l'amour nécessitent de l'entretien et des efforts, contrairement à la croyance populaire qui dit que l'amour vient à bout de tout, que tout est possible quand on s'aime.

Je ne le répéterai jamais assez : la femme a besoin de paroles et d'une multitude de petites marques d'affection pour se sentir aimée et aimer en retour. N'offrez pas une douzaine de roses ; offrez douze fois une fleur différente, et pas seulement à la Saint-Valentin. L'homme, quant à lui, a plus besoin de sentir que sa partenaire a confiance en lui et qu'elle le valorise dans ses actions. L'homme est un être prioritairement physique et la femme, prioritairement émotive.

Les phrases les plus efficaces

J'aimerais beaucoup faire votre connaissance...	82 %
Que pensez-vous de (la réunion, l'orchestre...) ?	70 %
Bonjour, Je me présente...	55 %
Puis-je vous offrir un verre ?	20 %
Vous me rappelez quelqu'un que je connais...	18 %
Toute autre phrase plus ou moins originale	(- %)

Chronique 33

M'écoutes-tu
quand je te parle ?

Quelle femme n'a pas un jour posé une question à son conjoint et obtenu... le silence total ? Aucun signe de tête, ni aucune réaction verbale, ni aucun regard... Rien ! La femme a alors vraiment l'impression que son partenaire ne l'a pas entendue ou, pire, qu'elle n'est pas intéressante.

En fait, son conjoint l'a généralement entendue : il peut même répéter la question. Vérifiez, vous verrez. Mais s'il n'a pas de réponse à offrir à la question posée, il préférera réfléchir... en silence. L'homme ne communique généralement que le résultat de sa réflexion : il a horreur de se tromper et de laisser voir son incertitude ou son ignorance.

La communication selon l'homme

L'homme ne juge pas nécessaire de communiquer le contenu de ses pensées. Il emmagasine plutôt le contenu de ses réflexions. Le fait de se taire est pour lui une façon de maîtriser la situation. Après avoir évalué toutes les réponses, il communique celle qui lui semble la meilleure ou celle qu'il pense que sa partenaire veut entendre. Ce processus peut prendre quelques secondes seulement ou des heures, parfois même des jours.

La femme a tendance à penser à voix haute afin de tenir l'autre au courant de ses états d'âme et de lui démontrer qu'elle envisage tous les aspects de la situation, ce qui a le don d'exaspérer l'homme: «Chérie, s'il te plaît, viens-en au fait. Arrête de faire tant de détours et dis ce que tu as à dire.» Demandez à un homme comment s'est déroulée sa journée, il répondra probablement: «Bien!» Posez la même question à une femme et... prenez le temps de vous asseoir.

La communication, source de conflits

L'homme pense en fonction des solutions à apporter; il vise l'efficacité. La femme pense en fonction du processus, soit au plaisir de communiquer et d'être en relation. Quand un homme dit que la femme parle trop, il veut dire qu'elle raconte plus de choses que lui est prêt à entendre. Pour la femme, le fait de communiquer son vécu et ses pensées est un signe d'amour tout à fait normal; pour l'homme, c'est excessif et étourdissant.

L'homme ne comprend pas que l'habitude des femmes à parler de leurs sentiments les aide à se comprendre et à trouver une solution si nécessaire. Quand un homme entend sa femme réciter toutes ses pensées, surtout si elles sont négatives, il ne comprend pas que pour elle c'est une façon de soulager ses tensions internes; il la traite plutôt de chialeuse.

La femme se plaint à voix haute et veut partager ses récriminations pour se sentir reçue et comprise. L'homme rumine ses problèmes en silence et cherche seul la solution à ses problèmes, ne voulant surtout pas préoccuper les autres avec ses hésitations.

L'homme ne demande de l'aide qu'en dernière analyse, lorsqu'il a épuisé toutes ses ressources et qu'il n'a pu trouver de solution à son problème. Toutefois, pour lui, c'est encore un signe de faiblesse. Pour la femme, le fait de demander de l'aide est un signe qu'elle estime la personne à qui elle se confie.

Quand l'homme entend sa femme exprimer ses préoccupations, soit :

1. il devient impatient et interprète qu'elle est incapable de trouver la solution à son problème ;
2. il se voit imposer la tâche de trouver la solution à sa place ;
3. il la pousse à trouver une solution, ce qui donne à sa partenaire l'impression qu'il veut la «réparer».

Et il se fait répondre, à raison, qu'il n'a rien compris.

Il y a évidemment des exceptions à ce qui précède, mais nos recherches concluent que 73 % des femmes contre seulement 27 % des hommes croient fermement que la communication peut régler les problèmes conjugaux.

À force d'être poussé à communiquer,
le couple est guetté par la surdose émotive.
L'ennui, c'est que nous, les gars,
on préfère s'écouter aimer.
Sans bruit de fond.

Richard Martineau

Le couple et l'enfant

Considéré comme le fruit de l'amour, l'enfant n'en provoque pas moins une véritable révolution dans la dynamique conjugale car les amants doivent maintenant former une famille : d'un duo doit émerger un trio. Nul doute que l'annonce d'une grossesse, surtout planifiée, soit un moment heureux, mais rares sont les couples réellement préparés à cette arrivée.

La grossesse

Déjà, l'inconfort des malaises du deuxième mois et la transformation physique, émotive et psychologique de la femme pèsent lourdement sur l'intimité conjugale. Sans parler du fait que l'arrivée d'un enfant semble également avoir des répercussions biochimiques et psychologiques (encore mal étudiées) sur le corps et le cerveau du nouveau papa. La paternité pousse l'homme à passer définitivement de l'adolescence à la maturité psychologique avec toutes les responsabilités que cela implique.

Plusieurs n'y parviennent pas. Devenir parent n'est pas une mince tâche, surtout que la majorité des femmes et des hommes sont laissés à eux-mêmes devant cette expérience extraordinaire mais combien bouleversante. Il y a, bien sûr, des cours prénataux et postnataux, mais la plupart sont axés sur la préparation physique et mentale à l'accouchement et les soins à donner au bébé ; très peu se préoccupent de la préparation aux transformations psychologiques et relationnelles des amants qui deviennent parents. Les statistiques démontrent une augmentation significative d'infidélité et de séparation dans l'année suivant l'arrivée d'un enfant.

Les sources de friction

Le fait de sentir la vie germer en soi et de la porter pendant neuf mois donne à la femme un sentiment de toute-puissance maternelle auquel sera souvent confronté son partenaire. Le jeune homme qui devient père s'investit de nouvelles responsabilités, ce qui stimule son côté protecteur et pourvoyeur. Sa difficulté est de comprendre que sa partenaire a plus besoin de soutien émotif que de pain. Son rôle vise la transformation de la symbiose dyadique mère-enfant en triade père-mère-enfant : la femme doit accepter que « son » enfant devienne « notre » enfant.

Du jour au lendemain, l'amant doit céder sa place et partager l'amour exclusif de sa partenaire, laquelle découvre un autre sens à sa vie et canalise, en toute légitimité, ses énergies à bien assumer son nouveau rôle de mère. *L'homme perd l'exclusivité de son amante pour le reste de sa vie*, un véritable traumatisme masculin très peu étudié par la psychologie moderne.

Les parents se rendent rapidement compte que leur petit bout de chou n'est en réalité qu'un enfant-roi à qui l'on doit obéir au moindre cri. Non seulement bébé n'est pas arrivé avec un mode d'emploi, mais il n'a ni horaire ni aucune compassion pour les besoins d'autrui ou l'état de fatigue de ses géniteurs. Et non, les deux parents ne s'attendaient pas à toutes ces corvées et ce chambardement dans leur vie jusqu'alors plutôt tranquille et remplie de loisirs et d'activités festives organisées à deux. Passe encore si les soins de l'enfant se terminaient rapidement, mais non, un enfant, c'est un contrat de vingt ans... au minimum.

Pour survivre

Le fait de s'entendre sur des principes éducatifs communs relève presque d'une mission impossible, surtout si l'un est permissif et l'autre plutôt porté sur la discipline. Il n'est pas facile non plus de laisser chaque parent intervenir à sa façon dans sa relation avec l'enfant. La parentalité, c'est deux vases communicants : l'homme sera d'autant père autoritaire que la femme sera maman poule, mais cela donnera lieu à de nombreuses discussions sur la manière d'éduquer l'enfant.

Tout comme la vie à deux prépare
à la vie conjugale, c'est en étant parent
que l'on apprend à être parent.

Pourtant, l'enfant a autant besoin d'un père et d'une mère qui posent des limites et éduquent à la responsabilité que d'un papa et d'une maman qui le soignent et s'amusent avec lui. Les parents se doivent toutefois d'être très solidaires, car la devise préférée des enfants, et encore plus des adolescents, c'est «diviser pour régner».

Du couple à la famille

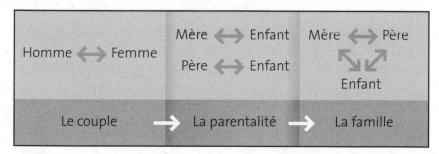

L'homme, la femme et les émotions

Quand les hommes refusent de parler de leurs émotions, les femmes les accusent d'être insensibles, incapables de tendresse et d'affection. Erreur fatale : l'insensibilité masculine est un mythe. En fait, les hommes sont tout aussi sensibles que les femmes et, dans certains domaines, ils le sont même davantage. Ils sont également, en général, beaucoup plus réactifs que leurs partenaires.

La nature et la culture

Le problème n'est pas que les hommes ne vivent pas d'émotions ; c'est que, pour des raisons ataviques[21], neurologiques et sociologiques, il leur est plus difficile de reconnaître leurs émotions et de les mettre en mots. Ils ont plutôt tendance à agir leurs émotions plutôt que d'en parler : l'homme triste se tait et se retire ; l'homme en colère met le poing sur la table ; l'homme désespéré se suicide au lieu d'appeler à l'aide.

Pour survivre à l'époque des cavernes, l'homme se devait d'être sans peur et ne devait pas se laisser envahir par ses émotions. Encore aujourd'hui, on apprend aux jeunes garçons à contrôler leurs émotions, à être logiques et raisonnables, à se «tenir tranquilles»

---

21. Atavisme : hérédité biologique de caractéristiques comportementales et psychologiques.

(parfois même avec du Ritalin[MD]). Le fait de ressentir une émotion est considérée comme un signe de faiblesse pour l'homme. Pour la femme, le fait d'exprimer ses émotions à quelqu'un qui l'écoute attentivement est la meilleure stratégie pour en diminuer l'intensité et lui devenir reconnaissante.

Des réactions différentes

Dans son «laboratoire de l'amour», John Gottman[22] demandait à un couple de discuter d'un problème conjugal. Il a constaté une augmentation du niveau de stress tant chez l'homme que chez la femme, mais plus rapidement chez l'homme : accélération du rythme cardiaque, augmentation de la tension artérielle, contractions musculaires, sécrétion d'adrénaline, production de vasopressine chez l'homme et de cortisol chez la femme, etc.

Stressé, l'homme cherche à fuir la situation de différentes manières : en montant le ton et en argumentant ou, au contraire, en fermant les yeux, en montrant un visage impassible, en s'enfermant dans le silence et en sortant de la pièce en claquant la porte. La tendance de la femme la pousse plutôt à chercher du soutien de la part de son partenaire car, pour elle, c'est la rupture de la relation qui provoque l'apparition de ces mêmes symptômes. C'est pourquoi elle insiste pour parler du problème.

Un cercle vicieux

Plus l'homme se referme et s'éloigne pour retrouver sa paix intérieure, plus la femme se sent trahie, blessée, rejetée. Plus elle cherchera à maintenir la relation et voudra résoudre le conflit par la parole, plus le niveau de stress augmentera chez l'homme. Plus il fuit, plus la femme cherche à le retenir. Inconsciemment, malgré leur amour et leur bonne foi, les deux participent de façon complémentaire à la schismogenèse (escalade), laquelle malheureusement

---

22. John Gottman et Nan Silver, *Les couples heureux ont leurs secrets, Les 7 lois de la réussite*, Paris, JC Lattès, 1999.

peut se développer en violence verbale ou, pire, en violence physique de l'un ou de l'autre.

La femme ressent le besoin d'exprimer ce qui ne va pas, croyant ainsi améliorer la relation et la compréhension ; l'homme reçoit cette communication comme l'expression d'un problème à résoudre ou comme un reproche ou une attaque. Le cercle vicieux se met en marche : elle l'accuse de ne pas vouloir communiquer, ce qui le pousse à fuir et, plus il fuit, plus elle est frustrée et le critique.

Sortir de l'escalade

La femme doit accepter la difficulté de son partenaire à exprimer ses émotions et sa tendance au retrait. L'homme doit comprendre que lorsque sa femme lui exprime des doléances, c'est par amour qu'elle le fait et pour améliorer leur relation, non pour l'attaquer ou le dévaloriser. La femme se sent aimée lorsque son mari lui exprime de la tendresse par des paroles ; l'homme éprouve le même sentiment lorsque sa femme le valorise et fait quelque chose de concret pour lui.

 L'homme possède une pudeur émotive là où la femme manifeste une pudeur corporelle. Qui a dit « névrosé » ?

Chronique 36

La rupture amoureuse

Nous avons – ou aurons – tous, un jour ou l'autre, jeunes ou moins jeunes, connu un chagrin d'amour. Si certains s'en remettent vite, pour d'autres, la triste sentence d'Anatole France, « Chagrin d'amour dure toute la vie », résonne comme une vérité effroyable, paralysante, indépassable.

À quelques nuances près, les étapes d'une rupture amoureuse sont les mêmes que celles d'un deuil. La personne qui quitte (l'Initiatrice) les vit avant l'annonce de la séparation ; pour l'autre (l'Abandonnée), le processus s'amorce au moment de l'annonce. Les deux passent par des moments atroces.

Le déni, ou le refus de la réalité

L'Initiatrice refuse de croire qu'elle n'aime plus son partenaire. Elle essaie de raviver sa flamme, mais elle se rend compte que son amour est mort, que son rêve initial ne pourra se réaliser avec ce partenaire. Ce processus peut prendre des mois et, parfois, des années.

L'Abandonnée ne peut croire que son partenaire a décidé de la quitter : elle a l'impression que le sol se dérobe sous ses pieds, qu'elle perd l'équilibre, que tout s'écroule autour d'elle, surtout si son amour reste encore vivace.

La colère et la culpabilité

Avant sa décision, l'Initiatrice vit un mélange de culpabilité, de colère, de désarroi, de doute et de frustration. Elle se sent coupable du mal que son rejet fera à l'autre. Elle est en colère contre l'autre de ne plus être à la hauteur de ses attentes. Contre elle-même aussi, car elle a l'impression de s'être laissé piéger.

Une fois surmonté le choc, l'Abandonnée devient ambivalente. Elle se révolte et exprime sa colère de façon verbale et parfois physique ; puis, elle cherche à reconquérir son partenaire et lui exprime tout son amour et toute sa considération. Elle passe d'un extrême à l'autre. Elle se sent également coupable, se demandant ce qu'elle a pu faire pour « tuer » l'amour de son conjoint.

Le marchandage

S'ensuit une phase de négociations, de marchandages, parfois même de chantages. L'Initiatrice vit ce marchandage en silence, avec elle-même. Elle cherche à se convaincre qu'elle ne pourra pas trouver mieux ailleurs, que la vie de couple est ainsi faite, qu'elle devrait se résigner, que les autres couples ne semblent pas plus heureux.

L'Abandonnée cherche à gagner du temps en demandant ce qu'elle pourrait faire pour que l'autre reste. Elle est prête à tout pour obtenir une autre chance. Elle propose une thérapie conjugale pour ranimer la relation. Dans les pires moments, elle va jusqu'au chantage, au suicide ou à la vengeance. Elle finit par lâcher prise et se trouve alors confrontée au vide de la perte.

La dépression

Cette phase est caractérisée par une grande tristesse, des remises en question, de la détresse, de l'angoisse… Là encore, l'Initiatrice vit cette phase en solitaire malgré les appels à la discussion de son partenaire qui se doute de quelque chose. Il lui arrive de pleurer en silence, parfois en présence de son partenaire.

Lorsque l'Abandonnée a épuisé toutes ses ressources, elle se résigne. La guerre avec l'autre se transforme en guerre avec soi et se manifeste par un « Pourquoi ? » obsédant, compulsif, obnubilant. Cette peine d'amour ravive les anciennes expériences d'abandon. L'estime de soi et la confiance en soi diminuent. Des pensées suicidaires ou criminelles surviennent. Cette phase peut durer de deux à six mois chez la personne autonome, mais facilement de deux à cinq ans chez les dépendants émotifs.

 Qu'est-ce qu'il y a de pire qu'un chagrin d'amour ? L'absence d'amour !

L'acceptation

Lorsque le déclic se fait dans la tête de l'Initiatrice, l'annonce de sa décision est vécue comme une délivrance, malgré les fortes réactions de l'Abandonnée. Le fait de sentir et d'espérer une nouvelle vie lui permet de voir la lumière au bout du tunnel.

Tranquillement, l'Abandonnée reprend du mieux. Parfois angoissée, elle redevient de plus en plus fonctionnelle et sociable. Les rechutes sont de plus en plus rares, moins intenses, moins longues, jusqu'au moment de l'acceptation entière et le début d'une nouvelle vie, y compris amoureuse.

Les symptômes physiques d'une peine d'amour

Sensation de perte d'équilibre – Crampes intestinales – Nausées et diarrhées – Maux de tête et de dos – Courbatures – Indigestions – Insomnies – Perte de libido – Perte d'appétit – Agitation – Hypertension – Fatigue intense – Perte de poids – Troubles cardiaques

Les symptômes psychologiques d'une peine d'amour

Anxiété – Tristesse – Angoisse – Colère – Rage – Dépression – Décompensation – Abattement – Repli sur soi – Asociabilité – Réactions paranoïdes – Perte d'estime de soi – Perte de confiance en soi – Idées obsédantes – Dévalorisation – Mutisme ou volubilité – Troubles comportementaux – Comportements à risque – Difficultés d'attention et de concentration – Nostalgie – Ruminations – Protestations – Suicide, précédé ou non de meurtre

L'art de bien se disputer

Il existe deux sortes de conflits dans les couples : les solubles et les insolubles. Ces conflits font partie intégrante de la vie conjugale. Il vaut mieux les considérer comme des occasions de stimuler notre créativité et notre croissance plutôt que de les voir comme des preuves de non-amour ou de mauvaise foi, à la condition d'apprendre à se disputer sans perdant et sans hypothéquer l'amour.

Un couple qui se dispute n'est pas nécessairement près du divorce. Tout dépend de la façon de s'y prendre. Voici donc quelques règles simples pour vous disputer harmonieusement et pour régler les problèmes solubles et accepter les problèmes insolubles.

1. Commencez la discussion en douceur et prenez le temps de respirer tout au long de la discussion, particulièrement au moment où vous sentez que la moutarde vous monte au nez.

2. Si vous percevez que l'autre s'énerve et monte le ton, proposez de reporter la discussion à plus tard. On ne règle généralement rien sur le coup de l'émotion.

3. Présentez la discussion comme une façon de mieux être ensemble : « J'aime tellement ça discuter avec toi, y compris quand nous avons des avis différents. »

4. Ne perdez jamais de vue le principe de la balle au mur : c'est la même balle qui revient et elle revient avec la même force à laquelle vous l'avez expédiée sur le mur. Si vous critiquez, vous

risquez d'être critiqué. Si vous complimentez… À vous de choisir.

5. Communiquez vos besoins, désirs et attentes, non vos émotions, encore moins vos frustrations.

6. Faites appel aux connaissances ou aux compétences de l'autre : « Que sais-tu au sujet de… ? », « Que penses-tu de… ? ».

7. Touchez votre partenaire au cours de la discussion, avec bienveillance et tendresse, et regardez-le dans les yeux.

8. Évitez les sujets que vous savez sources de mésententes permanentes. Rappelez-vous que nombre de problèmes conjugaux sont sans solutions. Si vous devez absolument les aborder, faites-le en termes positifs.

9. Gardez la tête froide et le ton amical. Évitez les expressions à l'emporte-pièce : « J'en ai marre » ou « Tu ne comprends jamais rien ».

10. Ne dites jamais « Toujours » ou « Jamais ».

11. N'abordez qu'un seul sujet à la fois, surtout si c'est un sujet délicat (et, plus particulièrement, si votre partenaire est un homme).

12. Parlez sur le ton de la confidence, même si votre partenaire a tendance à monter le sien. On s'entend mieux à trente-cinq décibels qu'à quatre-vingt-dix.

13. Ne cherchez pas à remettre les pendules à l'heure ou à crever l'abcès. Vous risquez tous deux d'être arrosés.

14. Si vous tenez absolument à crever l'abcès, donnez-vous le droit de vider chacun votre sac pendant cinq minutes, pas plus. Et concluez en disant : « Je t'aime quand même. »

15. Laissez votre partenaire s'exprimer jusqu'à la fin une fois que vous avez terminé de le faire.

16. Posez des questions démontrant votre intérêt pour le vécu de votre partenaire.

17. Ne donnez votre avis que si votre partenaire vous le demande. Donner un conseil non sollicité est une façon perverse de rabaisser l'autre.

18. À défaut d'être d'accord, exprimez de la compassion : « C'est vrai que cela doit être difficile à vivre. »

19. Gardez toujours en tête qu'il existe des différences fondamentales et naturelles dans la façon de communiquer et de réagir des hommes et des femmes.

20. Et surtout, prenez la responsabilité de vos dires, de vos pensées et de vos gestes. N'accusez jamais l'autre d'être responsable de ce que vous ressentez.

Ces vingt règles permettent de contenir au minimum la charge émotive qui accompagne les mésententes. Il serait toutefois utopique de croire qu'elles peuvent résoudre les problèmes insolubles. Ces derniers nécessitent une négociation à double gagnant afin d'éviter les blocages permanents.

Le fait d'apprendre à se disputer en douceur et à dédramatiser les conflits, solubles et insolubles, réduit la tension et le stress vécus pendant les « chicanes de ménage » et permet aux membres du couple de développer la première et principale base des couples heureux à long terme : l'amitié.

 Les membres des couples heureux ont appris à se disputer sans hypothéquer leur amour.

L'amour et la jalousie

Vous ne supportez pas que votre partenaire s'intéresse à quelqu'un d'autre. Vous surveillez ses allées et venues. Vous lui faites subir une véritable enquête de police lorsqu'il arrive en retard. Pas de doute, vous êtes jaloux.

Qui, parmi nous, n'a pas déjà éprouvé un minimum de jalousie face à son partenaire? Qui n'a jamais eu peur de le perdre? Ce sentiment semble inévitable au sein d'un couple. Certains vont même jusqu'à prétendre que la jalousie est une preuve d'amour. Attention, votre partenaire n'est pas votre propriété!

La jalousie et l'existence jalouse

J'aime bien la distinction que la psychologue Michelle Larivey[23] fait entre une jalousie saine, laquelle aide deux amoureux à s'exprimer l'importance qu'ils ont l'un pour l'autre, et l'existence jalouse, laquelle envahit la relation amoureuse et finit par détruire le lien amoureux.

La jalousie malsaine est une émotion intense empreinte de colère et de violence consécutive à la peur de perdre l'exclusivité de l'amour de l'être aimé au profit d'une autre personne, peur généralement non fondée, mais imaginée et exagérée par tous les

---

23. Sur son site http://www.redpsy.com/infopsy/jalousie.html (page consultée le 21 octobre 2008).

petits indices pouvant l'alimenter : retards, regards, soupirs, petites attentions, cadeaux à d'autres…

La personne jalouse déteste voir ou imaginer son partenaire s'intéresser à d'autres qu'elle. Au moindre doute, le partenaire subit une explosion émotionnelle excessive que toute tentative de négation ou de justification ne fait qu'envenimer. Dans les cas extrêmes, la jalousie peut mener au meurtre passionnel, après de nombreuses manifestations agressives à répétition, de harcèlement et d'intrusions de toutes sortes.

L'existence jalouse se développe généralement à la suite d'expériences d'abandon et de privation enfantines réactivées lorsque la personne jalouse sent que son partenaire semble moins passionné et s'investit un peu plus dans son travail, dans les soins à ses enfants ou, pire, s'intéresse amicalement à une autre personne.

La dynamique de la jalousie

En général, la personne jalouse et son partenaire entretiennent une dynamique de plus en plus destructrice : plus la personne jalouse exprime ses soupçons et cherche à contrôler son partenaire, plus ce dernier cherche à convaincre son conjoint qu'il n'a aucune raison d'être jaloux et tente de se défaire de son emprise. Ce qui ne peut qu'accentuer sa jalousie, car la personne jalouse sent que son partenaire s'éloigne.

Inconsciemment, la personne jalouse provoque sa plus grande peur : que son partenaire soit infidèle alors que, inconsciemment, c'est elle-même qui rêve d'un autre partenaire qui l'aimerait comme elle le veut. Mais comment ne pas nous éloigner d'un partenaire qui nous harcèle de questions, devient hostile et nous prive de manifestations amoureuses ? Plus la personne jalouse manque de confiance en elle-même et souffre d'insécurité, plus elle devient fusionnelle et fait ainsi fuir son partenaire qui lui exprimera de moins en moins souvent ses sentiments positifs que, de toute façon, la personne jalouse mettra en doute. Un cercle vicieux infernal qui dure parfois des décennies.

Comment en sortir ?

Le conjoint d'une personne jalouse ne doit surtout pas chercher à la convaincre qu'elle n'a pas raison d'être jalouse. Elle doit aussi refuser de prendre la responsabilité de ce qui ne lui appartient pas et remettre à la personne jalouse son insécurité et son manque de confiance en elle-même.

La personne jalouse doit arrêter de chercher des indices qui alimentent sa jalousie et observer plutôt toutes les marques d'amour que son partenaire a pour elle. Elle doit cesser ses stratégies d'auto-sabotage. La psychothérapie s'avère souvent nécessaire pour que la personne jalouse puisse reprendre suffisamment de confiance en elle pour faire enfin confiance à son partenaire et s'abandonner à lui.

Les deux doivent comprendre que l'existence jalouse ne peut qu'aliéner le couple et le détruire à plus ou moins longue échéance.

Ce que tu aimes, laisse-le libre.
S'il te revient, il est à toi.
Sinon, il ne t'a jamais appartenu.

Khalil Gibran

Le déséquilibre relationnel

Qu'on le veuille ou non, il existe dans tout couple une certaine lutte pour le pouvoir entre des besoins fusionnels et des besoins d'autonomie. Lorsque ces besoins paradoxaux sont égaux chez les deux partenaires, tout va. Mais si l'un est beaucoup plus fusionnel que l'autre qui se veut beaucoup plus indépendant, cela risque d'aller mal, très mal.

Pour savoir si votre couple est aux prises avec un tel déséquilibre relationnel, répondez par oui ou non aux questions suivantes.

		Oui	Non
1.	L'un de vous est-il possessif ou jaloux ?	☐	☐
2.	L'un de vous attend-il très souvent après l'autre ?	☐	☐
3.	L'un de vous est-il considéré par votre entourage comme le bon et l'autre comme le méchant ?	☐	☐
4.	L'un de vous fait-il davantage d'efforts pour établir la communication ?	☐	☐
5.	L'un de vous dit-il : « Je t'aime » plus souvent que l'autre ? L'un de vous demande-t-il souvent : « M'aimes-tu ? »	☐	☐
6.	Lors de rencontres sociales, l'un de vous attire-t-il facilement l'attention du sexe opposé ? L'un de vous se sent-il gêné ou ennuyé par la conduite de l'autre en public ?	☐	☐

7. L'un de vous est-il moins tendre que l'autre après avoir fait l'amour? Faites-vous l'amour par hygiène, par devoir, pour faire plaisir à l'autre…? □ □

8. L'un de vous dit-il souvent: «Il faudrait qu'on se parle»? □ □

9. L'un de vous se sent-il soulagé d'être avec des amis plutôt que seul avec son partenaire? □ □

10. L'un de vous donne-t-il beaucoup plus d'importance à sa carrière ou à ses enfants que l'autre? □ □

11. L'un de vous se sent-il frustré ou insatisfait de la relation alors que l'autre la tient pour acquise? □ □

12. Au restaurant, avez-vous de la difficulté à entretenir la conversation? Avez-vous l'impression que la communication se fait à sens unique? □ □

13. Si vous n'êtes pas mariés, l'un de vous soulève-t-il plus souvent que l'autre la question de l'engagement? □ □

14. Si vous êtes mariés, l'un de vous évoque-t-il plus souvent que l'autre la possibilité d'avoir des enfants (ou un enfant de plus)? □ □

15. Quand vous vous disputez, l'un de vous se fait-il traiter d'égocentrique, d'égoïste, d'indifférent, tandis que l'autre est accusé d'être possessif, exigeant ou collant? □ □

Additionnez vos oui et vos non.

Aucun oui: Vous êtes probablement encore en pleine lune de miel. Profitez-en, mais n'oubliez pas qu'un jour ou l'autre la passion va passer.

De un à trois oui : Si vous vivez ensemble depuis plus de cinq ans : bravo ! Vous avez appris à partager le pouvoir et à entretenir un minimum de passion entre vous deux.

Entre trois et dix oui : Vous vivez des hauts et des bas dans votre relation, comme tout couple normal. Mais attention aux bas !

Plus de 10 oui : Votre couple vit un fort déséquilibre relationnel. L'un étouffe dans cette relation alors que l'autre ne se sent pas compris du tout. Il se peut fort bien que l'un de vous pense sérieusement au divorce ou cherche ailleurs ce qu'il ne trouve plus légitimement dans son couple.

Plus vous avez de oui, plus votre relation contient des éléments de déséquilibre et plus vous êtes aux prises avec le cercle vicieux du paradoxe de la passion, c'est-à-dire que s'est installée dans votre couple une relation de domination-dépendance. L'un se sent rejeté et cherche à raviver le couple (dépendant) ; l'autre se sent partagé entre son amour pour son partenaire et son désir de liberté (contre-dépendant). Plus vous attendrez avant de vous attaquer à ce déséquilibre, plus le déséquilibre augmentera, et viendra un moment où votre couple éclatera.

Le dépendant affectif

Lorsqu'il existe un déséquilibre relationnel dans un couple, l'un des deux partenaires se retrouve dans la position du dépendant affectif et l'autre, dans celle du contre-dépendant. Plus le dépendant voudra fusionner pour être assuré de l'amour de l'autre, plus celui-ci voudra créer une distance afin de pouvoir mieux respirer.

Les caractéristiques du dépendant affectif

Le dépendant affectif n'existe que dans le regard de l'autre. Il ne vit que pour la relation et pour être en présence de son amoureux. Il est prêt à tout pour faire durer la relation. Le dépendant est passionné, il ne maîtrise plus ses émotions. C'est lui qui perçoit les premiers signes d'éloignement et qui devient anxieux. Son amour embellissait son partenaire ; le risque de le perdre l'idéalise.

Le dépendant constate les appels téléphoniques oubliés, les retards grandissants, la fréquence moindre des cadeaux. La peur et l'espoir envahissent le dépendant : la peur d'être rejeté, d'être dépossédé de son amour et l'espoir de sentir un peu de pouvoir dans la relation. Il veut reconquérir son partenaire et utilise les mêmes tactiques qu'en début de relation, ce qui fait fuir le contre-dépendant et accentue la crainte du dépendant.

Le dépendant est persuadé, envers et contre tout, que l'amour finira par venir à bout de tous les problèmes du couple. Il ne cesse

de répéter : « Je t'aime. » Et tout aussi souvent : « Est-ce que tu m'aimes ? »
Le désir sexuel du dépendant est exacerbé ; il en devient obsédé car
chaque nouvelle relation agit comme un baume sur ses craintes.
Faire l'amour symbolise le plus grand désir du dépendant : la fusion
avec l'être aimé.

Le dépendant refoule sa colère et son ressentiment, au début. Au
début seulement, car sa frustration augmente, son ambivalence aussi.
Mais sa colère, lorsqu'elle s'exprime, devient destructrice : il devient
jaloux, possessif. Il simule parfois l'indifférence ; à d'autres moments,
il explose et devient violent verbalement ou physiquement.

Le dépendant pathologique est même prêt à sacrifier son identité à la relation. Celui-ci devient un écho de l'autre : il ne veut surtout pas déplaire à son partenaire. Il angoisse et paralyse ; toute son
attention est centrée sur les stratégies pour être en présence de
l'autre. Il peut même utiliser le chantage, y compris le chantage au
suicide.

 *La conviction profonde du dépendant affectif
est que l'amour peut tout, mais il a tort !*

Ce que le dépendant peut faire

Vu de l'extérieur, le dépendant apparaît comme la victime du déséquilibre relationnel mais, en réalité, il en est coréalisateur. Pour
rétablir l'équilibre, le dépendant doit cesser ses comportements de
séduction puisqu'ils font fuir le contre-dépendant. Il doit mettre un
terme à ses scénarios de catastrophe : ce n'est pas vrai qu'il ne peut
vivre sans l'autre. Si son partenaire le quitte, il aura certainement
très mal, mais il est faux de prétendre que l'on meurt d'amour.

Le meilleur moyen que le dépendant puisse utiliser pour renforcer la relation est d'investir ses énergies ailleurs que dans la relation amoureuse : trouver un nouveau défi personnel, reprendre ses

anciens intérêts, renouer contact avec ses amis ou sa famille, retourner travailler ou s'investir un peu plus dans son travail… En un mot, trouver de nouvelles sources de plaisir et d'estime de soi pour faire baisser la pression sur la dynamique, ce qui permet ainsi au contredépendant de respirer et de raviver son désir et son amour pour son partenaire.

Le dépendant affectif

Il est passionné.

Il est prêt à tout (écho).

Il perçoit les signes d'éloignement.

Il a peur d'être rejeté.

Sa sexualité est exacerbée.

Toute sa vie est axée sur la relation.

Il utilise le chantage affectif.

Il devient jaloux, possessif.

Il vit de l'ambivalence.

Il apparaît comme la victime.

Le contre-dépendant affectif

Contrairement au dépendant affectif toujours en attente de la présence de son partenaire, le contre-dépendant étouffe dans sa relation et veut donc tenir à distance son partenaire, d'où le cercle vicieux : « Plus je te fuis, plus tu me poursuis ; plus tu me poursuis, plus je te fuis. »

Les caractéristiques du contre-dépendant

Le contre-dépendant passe pour le monstre dans la relation parce que c'est lui qui s'éloigne de l'autre et qui décide si la relation va continuer ou prendre fin. C'est généralement lui qui quitte et qui porte le fardeau de l'échec de la relation. On lui reproche, à tort, de ne pas s'être suffisamment occupé de l'autre, de ne pas avoir été assez aimant.

Si le dépendant vit l'angoisse du rejet, le contre-dépendant vit un mélange de culpabilité, de colère, de désarroi, de doute et de frustration. Il sait le mal que son rejet pourrait faire. Il hésite et redoute aussi la solitude après le divorce. C'est pourquoi il s'investit davantage dans le travail ou le soin aux enfants, espérant que le temps va arranger les choses, mais il a tort.

Le contre-dépendant diminue ses conduites de séduction. Son désir sexuel s'amoindrit progressivement. Il communique de moins en moins verbalement avec l'autre. Il s'enferme dans le silence, croyant ainsi acheter la paix, mais il provoque l'inverse.

Le contre-dépendant réalise souvent qu'il est piégé dans une relation avec quelqu'un qui l'aime et a besoin de lui, mais que lui n'est plus sûr d'aimer ou de pouvoir aimer. Il étouffe dans sa relation et il commence à regarder ailleurs ; parfois, il entretient une relation extraconjugale.

Le contre-dépendant se met de plus en plus souvent en colère contre le dépendant qui, lui, s'attache de plus en plus au dominant de peur d'être délaissé. Il se met aussi en colère contre lui-même pour s'être laissé coincer. Il se sent coupable de cette colère, d'être le salaud. Il vit une ambivalence viscérale : une attirance et une aversion simultanées envers son partenaire.

Cette ambivalence démontre que le contre-dépendant aime encore son partenaire, mais qu'il est actuellement dans le second pôle du paradoxe, soit la tendance à la différenciation : « Je t'aime, mais je ne suis pas toi et je ne peux pas répondre à tous tes besoins ; je veux m'occuper du couple, mais je veux aussi m'occuper de moi-même. »

 La conviction profonde du contre-dépendant est que le temps arrangera les choses, mais il a tort !

Ce que le contre-dépendant peut faire

Le contre-dépendant peut se réconcilier avec lui-même et cesser de se considérer comme le coupable du déséquilibre de la relation et des malheurs de son partenaire. Le vrai coupable, c'est le déséquilibre relationnel (fusion contre autonomie) inhérent à toute vie de couple. Le contre-dépendant doit canaliser sa colère sur cette dynamique relationnelle et faire intervenir l'une des lois fondamentales du paradoxe qui dit que lorsque le besoin de fusion est satisfait, le besoin d'autonomie augmente.

Pour ce faire, le contre-dépendant doit cesser d'accuser le dépendant et d'exagérer ses défauts ; il doit regarder la relation avec plus d'objectivité, faire la part des choses et faire des tentatives de rapprochement : donner de l'affection satisfait et rassure le dépendant qui devient alors moins exigeant.

Le contre-dépendant est toujours libre de maintenir le statu quo ou de modifier ses comportements vis-à-vis de son partenaire. Il peut même expliquer à son partenaire ce qu'il vit intérieurement et prendre le risque de montrer ses points faibles. Et si tout cela ne fonctionne pas, il pourra alors partir sans remords, sachant qu'il a tout essayé pour sauver son couple et qu'il n'est pas le seul responsable du divorce.

Autant le dépendant affectif a l'impression que le couple existe à peine, autant le contre-dépendant a l'impression que le couple prend toute la place.

Le contre-dépendant affectif

Il se sent coupable.

Il hésite.

Il redoute la solitude.

Il cherche des compensations.

Sa sexualité diminue.

Il s'enferme dans le silence.

Il se sent piégé.

Il devient colérique.

Il vit de l'ambivalence.

Il apparaît comme le bourreau.

L'andropause, ou la vie cachée des hommes

L'andropause est un état psychophysiologique qui affecte tous les aspects de la vie d'un homme. Provoqué par des changements hormonaux, physiologiques et chimiques, cet état se manifeste par des répercussions psychologiques, relationnelles et spirituelles. L'andropause signale à l'homme la fin de la première moitié de sa vie et le prépare à vivre la seconde moitié.

La façon dont sera vécue cette seconde moitié dépendra énormément de l'attitude de l'homme par rapport à cette période : la vivra-t-il en constante recherche d'une jeunesse qui s'enfuit ou en fera-t-il la période la plus passionnante et créatrice de sa vie ?

Les changements de l'andropause se produisent généralement entre quarante et cinquante-cinq ans, mais ils peuvent prendre place aussi tôt que trente ans ou aussi tard que soixante-cinq ans. On l'appelle aussi le retour d'âge, le climatère, le démon de midi, la ménopause masculine ou la viropause. Certains médecins parlent plutôt d'un syndrome d'hypogonadisme acquis qui fait ainsi référence à la baisse de production des hormones sexuelles.

L'homme, un être solitaire

Peu d'hommes aiment parler de ce qui les préoccupe ; l'homme est un être beaucoup plus solitaire et secret que sa compagne. Il n'ose pas admettre ses faiblesses ou ses erreurs, encore moins qu'il a l'impression de «décliner» : il est plus masculin de souffrir en silence que d'admettre que quelque chose ne va pas. C'est probablement la raison pour laquelle l'étude de l'andropause commence à peine.

C'est aussi pourquoi beaucoup d'hommes se sentent si seuls durant cette période. L'andropause se vit généralement de façon cachée. Plusieurs s'imaginent que celle-ci annonce la fin de leur vie active et sexuelle et qu'ils doivent maintenant se préparer au vieillissement et à la mort imminente. L'andropause constitue pour l'homme une dernière chance de prendre enfin sa santé en main. S'il connaissait son corps autant que la mécanique de son automobile, il vivrait probablement plus vieux et en meilleure santé.

L'andropause, une ménopause masculine ?

Trois millions de Canadiens vivent actuellement leur andropause ; ce chiffre doublera d'ici vingt-cinq ans. L'espérance moyenne de vie ne dépassait pas trente-cinq ans au Moyen Âge et cinquante ans à la fin du xixe siècle. Les biologistes chercheurs en longévité nous prédisent cent vingt ans au milieu du xxie siècle. Nous sommes les premières générations à vivre une andropause et une post-andropause aussi longues.

Quoiqu'il existe chez l'homme des symptômes physiques et psychologiques analogues à ceux de la ménopause, on ne peut dire que l'andropause en soit l'équivalent pour plusieurs raisons énumérées dans le tableau de la page suivante. Le stress, la fatigue professionnelle, la perte d'intérêt pour la partenaire, l'émergence de conflits psychiques, les effets secondaires de médicaments, le début d'une dépression, etc., plutôt qu'un chambardement hormonal important, sont plus souvent la principale source des changements et symptômes qu'on observe chez l'homme vieillissant.

L'andropause et le couple

L'andropause affecte la vie du couple, l'homme devenant moins entreprenant au moment où sa partenaire commence elle aussi à se sentir vieillir et souvent moins désirable ; les réactions de l'un des partenaires accentuent les réactions de l'autre, créant ainsi un cercle vicieux et un fossé d'incompréhension entre les deux conjoints.

L'andropause provoque un questionnement existentiel, car il est impossible de préserver une jeunesse éternelle : l'homme doit se préparer à son nouveau rôle en tant que personne plus âgée que les autres. Deviendra-t-il un gardien de la sagesse et un modèle de vie épanouie pour la jeunesse, ou paniquera-t-il en tentant de retenir le temps qui file ?

Comparaison entre la ménopause et l'andropause

MÉNOPAUSE	ANDROPAUSE
Concentrée entre quarante-cinq et cinquante-cinq ans	Évolue entre trente-cinq et soixante-cinq ans
Changement hormonal radical	Changement hormonal progressif
Perte de la capacité de reproduction	Conservation de sa capacité de reproduction
Symptômes plus ou moins intenses	Symptômes présents ou absents
Causes physiologiques	Causes psychophysiologiques

Les besoins conjugaux des femmes

En tant qu'êtres humains, nous avons sensiblement les mêmes besoins. Toutefois, en tant qu'homme ou femme, ceux-ci se présentent dans un ordre de priorité quelque peu différent, d'où les nombreuses prises de bec conjugales.

Personne ne met en doute les différences homme-femme, sauf quelques universitaires idéologues partisans de l'égalité = similarité. Mais combien d'hommes seraient capables d'énumérer les cinq besoins fondamentaux des femmes au sein d'une relation amoureuse? Je doute même que les femmes y parviennent. Mon expertise trentenaire en thérapie conjugale m'a appris que ceux-ci étaient très différents des besoins fondamentaux des hommes (voir à ce sujet la chronique 44).

L'affection

Pour la femme, l'affection constitue le ciment de la relation amoureuse. Pour elle, un homme affectueux est un gage de sécurité, de protection, d'engagement et de confort. Les marques d'affection ne sont jamais assez nombreuses pour la femme aimante. D'ailleurs, chacune d'elles – une parole, un écrit, un regard, un cadeau, etc. – est interprétée par la femme comme une preuve qu'elle est importante pour son partenaire, que celui-ci s'intéresse à elle et qu'il est fier d'elle.

La femme étreinte, à qui l'on tient la main en public, à qui l'on offre des fleurs, qu'on invite à dîner, que l'on fait rire, s'attache de plus en plus à l'homme qui lui manifeste toute cette attention. Nombreux sont les hommes qui disent ne pas être du genre affectueux et qui, d'un autre côté, se plaignent de ne pas avoir suffisamment de sexe. Pourtant, l'un ne va pas sans l'autre pour une femme. Tous les hommes peuvent, s'ils le veulent, apprendre à être plus affectueux, ce qui pourrait améliorer leur vie sexuelle tant en qualité qu'en quantité.

Le dialogue

L'absence de communication est le principal reproche des femmes à l'encontre des hommes. J'ai rarement entendu un homme se plaindre que sa femme ne lui parlait pas assez. Les femmes aiment parler parce que l'échange verbal confirme l'existence de la relation. La conversation les aide à se sentir reliées chaleureusement à leur partenaire.

En général, les hommes répondent bien à ce besoin… le temps de la séduction et de la conquête. Par la suite, ils se demandent pourquoi leur partenaire, si valorisante au début, devient de plus en plus critique avec le temps.

L'honnêteté

Encore faut-il que la communication se fasse en toute franchise et en toute transparence. Il est essentiel pour la femme de sentir que son homme lui dise réellement ce qu'il ressent, ce qu'il vit et ce qu'il pense en tout temps. Pour se sentir en sécurité, toute femme a besoin de sentir que son conjoint lui dit la vérité, toute la vérité.

La tendance de l'homme à protéger sa femme de ses préoccupations, à améliorer la réalité pour éviter les discussions, à mentir par omission détruit petit à petit la confiance de celle-ci en lui. Comment peut-elle croire le «Je t'aime» si, plus souvent qu'autrement, il ne lui dit pas ce qu'il sent ou pense réellement.

Le soutien financier

Aujourd'hui, les femmes peuvent subvenir à leurs besoins financiers. Mais il n'empêche qu'elles recherchent tout de même un partenaire financier pour assurer, en toute légitimité, la stabilité économique de la famille. Qu'elles le reconnaissent ou non, ce besoin leur est fondamental. De nombreuses clientes m'ont confié avoir perdu toute admiration pour leur partenaire lorsque celui-ci avait perdu son travail.

L'engagement envers la famille

Sauf s'il y a une exception compréhensible, toute femme désire construire une famille solide avec le soutien d'un homme qui accepte de jouer pleinement son rôle de père. Si l'homme savait la valeur érotique qu'il possède lorsqu'il se met à quatre pattes pour jouer avec ses enfants, lorsqu'il s'occupe des soins à donner à ses enfants et lorsqu'il partage équitablement les travaux ménagers, il ferait mentir les recherches féministes qui démontrent l'inégalité homme-femme dans ces domaines.

 La femme se donnera tout entière à l'homme qui répond à ses besoins.

Les besoins conjugaux des hommes

Les besoins conjugaux fondamentaux des femmes tournent autour de l'affection, du dialogue, de l'honnêteté, du soutien financier et de l'engagement envers la famille. Mais qu'en est-il de ceux des hommes? Sont-ce les mêmes ou sont-ils fondamentalement différents?

La sexualité

Quelle femme n'a jamais dit à son partenaire et avec raison : « Tu ne penses qu'à ça! » Peu de femmes sont capables de comprendre la profondeur du besoin sexuel d'un homme. Pour lui, c'est le sexe qui constitue le ciment du couple. Nombreuses sont celles qui s'en désintéressent avec le temps et qui se plaignent de ne plus avoir suffisamment d'affection. Pour l'homme aussi, sexe et affection sont reliés : l'un ne va pas sans l'autre.

L'homme choisit une femme pour la vie et est assuré qu'elle s'intéressera sexuellement à lui autant que lui s'intéressera sexuellement à elle : il restera fidèle s'il obtient la satisfaction de ce besoin. L'homme non sexuellement satisfait se masturbera (au su ou à l'insu de sa partenaire), trouvera ailleurs des compensations ou se résignera, mais il le fera sentir à sa partenaire. Pourtant, le potentiel sexuel de la femme est sans limites, et toute femme peut le développer.

Une compagne de jeux

Après le sexe, c'est le sport qui est au centre de la vie de la plupart des hommes. « Ce qu'il y a de mieux dans la vie, après jouer et gagner, c'est jouer et perdre », dit le fameux joueur de tennis André Agassi. L'homme adore que sa partenaire participe à ses activités sportives en plein air ou de salon.

En général, la femme répond bien à ce besoin, le temps de la séduction et de la conquête, pour être aux côtés de son amoureux. Par la suite, elle se demande pourquoi son partenaire, si attentif au début, se désintéresse de plus en plus d'elle. L'homme veut *faire* en plus d'*être* en relation.

Une conjointe attirante

De nombreux clients m'ont avoué, à l'insu de leur partenaire, qu'ils avaient perdu tout désir pour elle depuis que celle-ci avait pris de vingt à trente kilos et qu'ils n'osaient leur dire leur désappointement. Voilà, c'est fait ! Je le confirme : la grande majorité des hommes adorent avoir à leurs côtés une femme séduisante qu'ils seront fiers de présenter à leur famille et à leurs amis, non seulement parce qu'ils la trouvent belle, mais aussi parce qu'elle a des propos intéressants et qu'elle est une bonne hôtesse.

L'homme n'a pas besoin d'une reine de beauté, mais tous les hommes n'ont pas le courage de dire à leur compagne, à l'instar de Charles Aznavour : « Tu t'laisses aller[24]. » Comment voulez-vous qu'il regarde sa femme si ce qu'il voit est moche ? La femme a aussi besoin d'un homme attirant, mais les valeurs du cœur lui semblent plus importantes. Du moins, c'est ce que beaucoup d'entre elles disent. Doit-on les croire ou veulent-elles, elles aussi, un homme charmant en tout temps ?

---

24. Pour écouter cette chanson : youtube.com/watch?v=i4y_MJaR-FU (page consultée le 21 octobre 2009).

La paix et la tranquillité

La maison comme havre de paix et de tranquillité est un fantasme masculin aussi fréquent que le fantasme du harem. Le fait de pouvoir être accueilli par une femme chaleureuse au retour du travail et par des enfants courant vers lui, éviter tout sujet de controverse pendant les discussions à table, passer une soirée tranquille (avec ou sans télé) une fois les enfants couchés, vivre dans une maison bien rangée et, occasionnellement, faire l'amour avec la femme de sa vie constitue, encore aujourd'hui, une excellente stratégie pour que l'homme s'investisse davantage dans les tâches ménagères et les soins aux enfants à une époque où, en toute légitimité, la femme possède une carrière et voudrait, elle aussi, profiter du « repos de la guerrière » à son arrivée à la maison.

L'admiration

L'homme valorisé pour ce qu'il est, non pour ce qu'il pourrait devenir, et admiré par les yeux étincelants de sa partenaire prend confiance en lui, se responsabilise et s'engage. L'homme critiqué se met sur la défensive et finit par fuir, dans le silence ou dans les bras d'une autre femme.

 L'homme se dévouera totalement à la femme qui répond à ses besoins.

Chronique 45

La banque d'amour

Au début de ma carrière, j'accompagnais les couples en les aidant à améliorer leur communication et à résoudre leurs conflits plus efficacement. Quoique ce soit utile pour faire baisser temporairement la pression, mon taux de réussite pour sauver les couples était plutôt décevant.

J'ai cherché longtemps ce qui pouvait expliquer que deux amants intimes deviennent, après quelques années, deux ennemis intimes s'accusant l'un l'autre d'être responsable de l'état misérable du couple et qui fait que le taux de divorce augmente sans cesse. Comment peut-on perdre ce sentiment amoureux qui a uni deux personnes qui se trouvaient irrésistibles et exceptionnelles ?

La communication ?

Les couples viennent consulter en disant qu'ils ont des problèmes de communication, qu'ils ne réussissent pas à résoudre leurs conflits et qu'ils se disputent de plus en plus souvent. Il n'y a pas de doute que tout cela puisse hypothéquer sérieusement le sentiment amoureux. Mais ces motifs de consultation sont-ils les *causes* ou les *symptômes* d'un amour perdu ?

J'ai alors compris, grâce aussi aux nombreuses recherches faites sur les couples heureux à long terme, qu'il faudrait, au-delà de l'amélioration de la communication pour la résolution des conflits, aider ces hommes et ces femmes à faire renaître le sentiment amoureux qui avait cimenté leur couple, sentiment qui s'était étiolé en cours de route.

Le plaisir contre le déplaisir

Le principe à la base de la vie est simple, très simple : la recherche du plaisir et la fuite de la douleur. Les deux membres d'un couple resteront amoureux ou redeviendront amoureux s'ils vivent ensemble plus de moments plaisants que de moments douloureux. Le bonheur conjugal devient alors une simple question de savoir ce qui me rend heureux et rend l'autre heureux.

La réponse est donc simple, très simple, à la condition de la connaître et de l'accepter : tout faire pour rendre l'autre heureux en satisfaisant ses besoins (voir le tableau de la page suivante) et en évitant de faire ce qui rend l'autre malheureux. Les besoins varient évidemment d'un sexe à l'autre et d'une personne à l'autre.

Le problème est que les hommes et les femmes ont de la difficulté à comprendre et à accepter les besoins de l'autre. Chacun veut bien satisfaire ses propres besoins, mais chacun oublie que le couple existe pour satisfaire les besoins des deux partenaires ; sinon, se développe le risque d'aller combler les besoins insatisfaits en dehors du couple.

Un compte en banque émotif

Comparons le couple à un compte en banque, un compte en banque émotif. Chaque plaisir échangé correspond à un dépôt dans la banque d'amour, et chaque moment pénible mène à un retrait. La grosseur des dépôts et des retraits varie en fonction de l'intensité du plaisir ou de la frustration.

Pendant la séduction et la lune de miel, les partenaires accumulent dépôt sur dépôt et l'actif de leur compte ne cesse de grimper car ils cherchent constamment à satisfaire les besoins de l'autre.

Mais une fois l'union assurée, nombreux sont les hommes et les femmes qui croient qu'ils sont assez riches pour vivre sur leurs réserves. C'est alors qu'ils commencent à faire des retraits en tenant moins compte des besoins respectifs de chacun.

De nombreux couples sont venus me consulter alors que leur compte en banque était «dans le rouge»; certains étaient près de la faillite. Heureusement, il n'est jamais trop tard pour recommencer à faire des dépôts en tenant compte des besoins de l'autre. J'ai pu ainsi apprendre à sauver plus de couples en les confirmant dans leurs besoins respectifs qu'en leur apprenant à mieux communiquer afin de résoudre leurs conflits inévitables et, la plupart du temps, insolubles.

Les besoins fondamentaux des hommes et des femmes

HOMME	FEMME
La satisfaction de ses besoins sexuels	La satisfaction de ses besoins affectifs
Une compagne de jeux	Un compagnon pour dialoguer
Une conjointe attirante	Un conjoint transparent
La paix et la tranquillité	La sécurité financière et émotive
La valorisation	L'engagement

Les styles de vie

Non seulement l'espérance de vie s'est grandement améliorée depuis le Moyen Âge, mais les styles de vie adulte n'ont jamais été aussi variés qu'aujourd'hui. Avant, on se mariait pour le meilleur, pour le pire et pour la vie ; maintenant, chaque adulte peut vivre plusieurs styles de vie.

Le célibat

Aujourd'hui, le célibat a pris une telle ampleur qu'une personne sur trois en âge de se marier vit seule en Amérique et en Europe. Certains subissent leur solitude, d'autres la choisissent. Les célibataires involontaires sont surtout de jeunes gens ou des divorcés et des veufs qui n'ont pas encore retrouvé de partenaire.

De nombreux adultes décident de vivre seuls par choix, pour des raisons professionnelles, pour profiter de leur solitude ou encore parce qu'ils en ont pris l'habitude. Certains ne comprennent pas pourquoi ils devraient limiter leur liberté en partageant leur vie avec quelqu'un. Mais, pour la plupart, le célibat est un style de vie temporaire et la majorité finira par vivre en couple, marié ou non.

Les VCCS

Selon Statistique Canada, 8 % des couples *Vivent Chacun Chez Soi* (VCCS). La majorité (56 %) sont âgés entre vingt et trente ans, mais 25 % ont plus de quarante ans. Les jeunes y voient une façon d'entretenir une relation amoureuse et sexuelle tout en vivant chez leurs parents ou en continuant leurs études. Les plus vieux y voient plutôt un style de vie permanent afin de conserver, après un divorce ou un veuvage, leur indépendance et leur patrimoine, surtout lorsqu'il y a encore des enfants à charge. Vivre chacun chez soi permet d'équilibrer des besoins d'intimité et d'indépendance, tout en ayant une vie sexuelle active avec un partenaire privilégié.

La cohabitation

Impensable il y a quelques décennies, le fait de vivre en couple sans être marié (conjoints de fait) est de plus en plus populaire. Le Québec et la Suède sont les champions mondiaux de la cohabitation (30 %). Ce sont surtout des jeunes, et 20 % seraient gais et lesbiens. La cohabitation précède souvent le mariage, puisque 70 % finissent par se marier, mais certains en font un style de vie permanent et fonctionnel. J'en suis personnellement un bel exemple puisque je vis en cohabitation avec ma Renée et heureux depuis 1982.

Le mariage

Le mariage se définit comme une union émotionnelle, sexuelle et économique légalement reconnue. Dans certains pays, dont le Canada, cette définition inclut les unions entre personnes de même sexe.

> « Les époux sont tenus légalement à certains devoirs, dont la cohabitation, la fidélité, l'assistance en cas de besoin (maladie, handicap), le partage des charges en fonction de leurs moyens financiers respectifs et l'éducation des enfants. Le mariage constitue un projet de vie privé, reconnu socialement, pour satisfaire des besoins personnels (appartenance, aimer et être aimé, sexualité, communication, entraide, sécurité, croissance) et pour réaliser des projets de couple (famille, patrimoine, voyages, retraite)[25]. »

---

25. Langis et Germain, *La sexualité humaine*, Montréal, ERPI, 2009, p. 185.

On se marie toutefois de moins en moins et de plus en plus tard : l'âge moyen du mariage est passé, au Québec, de 21 ans pour les femmes et de 23 ans pour les hommes en 1970 à 30,4 et 31,9 ans en 2003 selon Statistique Canada[26].

Et les autres

Le taux élevé de divorces (50 %) est à l'origine de deux nouveaux styles de vie : les familles monoparentales et les couples recomposés. Les familles monoparentales sont entre 17 % et 28 % en Occident, et 80 % sont dirigées par la mère seule. L'appauvrissement et le désinvestissement progressifs des pères aggravent les problèmes de ces familles.

Actuellement, 25 % des mariages sont un remariage pour au moins l'un des partenaires, avec un ou des enfants d'une union antérieure. Ces couples sont aux prises avec deux nouvelles sources de conflits souvent insolubles : les relations avec les ex-partenaires et l'exercice de l'autorité vis-à-vis des enfants du conjoint.

Comme on peut le constater, malgré les divers styles de vie, il n'est pas facile de vivre heureux en couple. Ceux qui y parviennent ont d'autant plus de mérite.

 Toute rencontre recherchée pour éviter d'être seul mène nécessairement à une dépendance.

Rose-Marie Charest

---

26. L'âge moyen du mariage au Canada est actuellement de 28,5 pour les femmes et de 30,6 pour les hommes ; de 25,3 et de 27,1 aux États-Unis ; de 29,3 et de 31,1 en France.

L'illusion de l'âme sœur

Google recense plus d'un million de références à «âme sœur» et plus de dix millions à son équivalent anglais «soul mate». Tous les sites ou agences de rencontres promettent à leurs adhérents de trouver leur âme sœur, soit une personne spécialement conçue pour eux, juste pour eux, qui se trouve quelque part, en attente, et avec laquelle ils trouveront le bonheur pour la vie.

Cette illusion de l'âme sœur est tellement enracinée dans la pensée magique des immatures émotifs qu'ils font de ces sites de rencontres l'activité commerciale la plus rentable après les sites pornographiques. Des dizaines de livres ont été écrits sur «Comment trouver l'âme sœur et la garder». Certains sont même des best-sellers. Tous ces sites et auteurs ne font, à mon avis, qu'exploiter la naïveté émotive de millions d'hommes et de femmes.

Le vide existentiel

L'illusion de l'âme sœur trouve sa source dans le vide existentiel vécu par tout être humain. C'est ce vide qui nous pousse vers l'autre, mais il ne peut jamais être comblé, n'en déplaise aux passionnés. Ce n'est pas très agréable de savoir que nous sommes incomplets et mortels, mais telle est pourtant notre réalité.

La recherche insatiable et toujours inassouvie de l'âme sœur enchaîne nombre d'hommes et de femmes dans un cercle vicieux :

plus nous la recherchons, moins nous la trouvons (puisqu'elle n'existe pas), plus nous nous sentons vide et plus nous nous mettons à la recherche d'un partenaire qui pourrait combler nos manques. C'est pourquoi les passionnés partent à la recherche d'une autre âme sœur lorsqu'ils se rendent compte qu'ils n'ont pas réussi le match parfait.

Plutôt que de chercher à aimer la personne actuelle, ils se convainquent qu'ils ont tiré le « mauvais numéro », qu'ils ne sont pas tombés sur le « bon » partenaire. Ils vont donc d'agence de rencontres en agence de rencontres ou naviguent de site en site, faisant la fortune de leurs propriétaires. L'alcoolique, le toxicomane, le bourreau de travail participent au même cercle vicieux. La peur du vide et de la solitude ainsi que le refus de leur finitude leur font adopter ce que les psychologues appellent la fuite en avant. Le fait de s'arrêter leur est intolérable car ils contactent alors leur vide existentiel, pourtant propre à l'espèce humaine consciente et dont la fonction essentielle est d'être rempli.

La passion

La passion donne temporairement l'illusion d'avoir trouvé le partenaire idéal et l'illusion que nous pouvons combler notre vide existentiel et celui de l'autre. Mais, un jour ou l'autre, nous constatons que le partenaire élu n'est pas parfait, qu'il a des défauts et des manques et que nous ne sommes pas non plus parfait puisque nous n'avons pas fait un choix parfait. La solution est soit de partir à la recherche d'une autre âme sœur illusoire, soit de confronter la réalité. Cette confrontation constitue le fondement de la première crise conjugale.

Les couples heureux

Les membres des couples heureux ont accepté de vivre avec ce vide existentiel intérieur et permanent. Ils savent bien que le vide doit être rempli, mais ils font la différence entre le partenaire fantasmé, qui ne peut exister que dans leur tête, et le partenaire réel avec lequel ils décident de lier leur vie afin d'en profiter au maximum avant l'échéance finale. Sachant qu'eux-mêmes ne sont pas parfaits, ils cessent de rechercher la personne idéale avec laquelle constituer un match parfait.

La beauté de l'amour réside dans le fait d'accepter d'aimer un être imparfait. Et l'amour de soi est la conscience que, même imparfaite, chaque personne est digne d'amour.

 L'homme idéal à la recherche de la femme idéale : le meilleur moyen de rester célibataire.

Dominique Blondeau

Le partenaire approprié

« Les contraires s'attirent », dit la psychologie populaire. Oui, mais elle dit aussi que ceux qui se ressemblent s'assemblent. La psychologie conjugale scientifique dit que pour être heureux en couple, il faut trouver un partenaire approprié ou compatible. Un partenaire qui, sans être un clone de soi-même, nous ressemble suffisamment pour que les différences ne soient pas des causes continuelles de différends.

La différence est source de désirs et nous prédispose aux coups de foudre, mais trop de différences engendrent nombre de désillusions et de confrontations. Vivre avec quelqu'un qui possède des valeurs et des priorités à l'opposé des siennes est impossible, car les conflits sont alors multipliés et les crises très intenses. Plus les partenaires d'un couple se ressemblent, plus l'espérance de vie commune augmente, ainsi que les probabilités d'un grand bonheur. Le couple idéal et stable serait formé d'au moins 70 % de ressemblances.

La compatibilité physique

Les membres d'un couple heureux ont sensiblement le même âge, avec une différence moyenne de deux à trois ans en faveur de l'homme. Celui-ci est généralement plus grand de onze centimètres ; leur gabarit est aussi assez semblable. Leurs libidos s'équivalent et évoluent ensemble. Phénomène intrigant, les partenaires des couples heureux finissent parfois, avec les décennies, par se ressembler physiquement, car ils ont su trouver une harmonie physique, sensuelle et sexuelle.

La compatibilité sociale

On ne compte plus les recherches qui démontrent que plus les partenaires sont appropriés selon leur origine sociale, plus leur relation est durable. Le partenaire le plus approprié est quelqu'un qui provient du même milieu socioénonomique, qui a atteint le même niveau d'éducation, qui possède la même origine ethnique et la même couleur de peau, et qui fait partie du même groupe religieux que vous.

Des recherches ont même démontré que 50 % des couples étaient formés à partir de partenaires vivant dans la même région géographique et qu'ils avaient plus de chances d'être heureux que ceux provenant de régions différentes, à plus forte raison les couples n'ayant pas la même nationalité ou qui sont d'origine ethnique ou religieuse différente. D'ailleurs, la majorité des couples ne se forment-ils pas à l'école ou avec un collègue de travail, démontrant par là le fait indéniable que «qui se ressemble s'assemble». Ce qui ne veut pas dire que des mariages mixtes[27] ne peuvent pas fonctionner, mais ils doivent faire face à une source de conflits supplémentaire.

La compatibilité psychologique

Il apparaît évident que les couples formés par des partenaires ayant des personnalités semblables, les mêmes traits de caractère, un même niveau intellectuel, une même perception du partage des rôles sexuels, une même ouverture d'esprit, les mêmes attentes réalistes face à la vie conjugale, un même sens de l'humour, un même niveau d'énergie, les mêmes idéaux, la même capacité d'adaptation, etc., ont plus de chances de former des couples har-

---

27. On appelle mariage mixte l'alliance de deux individus d'ethnies ou de religions différentes.

monieux que ceux qui sont à l'opposé sur chacune de ces variables. Les extrêmes ne font généralement pas bon ménage, du moins pas très longtemps.

La compatibilité émotive

« Notre partenaire est notre miroir », se plaisent à dire les psychologues, signifiant par là que les deux membres d'un couple possèdent le même niveau de développement émotif. Les personnes immatures attirent des personnes immatures. La petite fille naïve recherchera un père protecteur mais manipulateur. La femme mère hypergénéreuse se retrouvera avec un petit garçon gâté et dictateur. Le dépendant émotif attirera le contre-dépendant, car tous deux sont fusionnels et ont peu d'estime d'eux-mêmes. Et chacun accusera l'autre de son malheur.

La personne autonome, bien individualisée, responsable d'elle-même, bien dans sa peau, en contrôle de ses émotions, ouverte aux sentiments et aux expériences des autres attirera son semblable et augmentera ainsi ses probabilités de former un couple heureux à long terme. Leur maturité émotionnelle leur permettra de vivre une intimité faite de moments de fusion intense et de périodes de grande autonomie.

 Le défi du couple :
être un tout en restant deux !

Le sens des responsabilités

La personne heureuse prend l'entière responsabilité de sa vie, qu'elle vive seule ou en couple. Le centre de vie de la personne responsable se trouve à l'intérieur d'elle-même, non dans le regard de l'autre. Pour utiliser une image, disons que la personne heureuse est comme un beau bouquet de fleurs trônant au milieu d'une table.

Pour ne pas être bancale, la table doit reposer également sur ses quatre pattes. Il en va de même de toute personne qui doit, pour se réaliser pleinement, s'assurer que chaque dimension de sa vie est également épanouie. Ces quatre dimensions comprennent la vie professionnelle, la relation avec un partenaire, le rôle parental et la vie personnelle. C'est ce que j'appelle ma théorie des *4 P* (ou 4 pattes).

Les quatre dimensions de la vie

Nous avons tous besoin de nous sentir utile, d'avoir une place dans la société et de gagner honorablement notre vie et celle des gens qui dépendent de nous. C'est notre côté *Professionnel* : si nous aimons ce que nous faisons, nous nous épanouissons ; sinon, nous travaillons[28].

Nous avons aussi des besoins dont la satisfaction dépend de la présence d'un *Partenaire* : aimer, être aimé, sexualité, complicité, engagement, partage, chaleur humaine, communication, etc. Pour

---

28. Le mot « travail » vient du mot latin *trepalium* qui signifie torture.

y parvenir, parmi tous les humains rencontrés, nous recherchons activement un *Partenaire* privilégié, un *Pp*. C'est évidemment à l'intérieur d'un couple que l'on peut le mieux satisfaire ce besoin de partenariat.

Le *Parent*, c'est la partie de nous qui veut aider les autres, notre côté altruiste. Nos enfants sont ceux qui ont le plus besoin de notre aide parentale et avec lesquels nous nous devons d'être *Parent*, mais nous sommes aussi *Parent* lorsque nous aidons notre partenaire, lorsque nous conseillons nos amis, lorsque nous prenons soin de nos propres parents ou lorsque nous faisons du bénévolat.

Le côté *Personnel* ou *Privé*, c'est le monde des loisirs, des projets et des rêves personnels; c'est notre jardin secret, celui où un sain égoïsme doit se manifester. C'est la relation à soi-même, la partie de soi qui se regarde vivre et qui discute avec elle-même. C'est celle qui prend conscience que je passerai le reste de ma vie avec moi-même et qui doit tout faire pour que je sois pour moi-même un excellent compagnon, condition essentielle pour être un bon compagnon pour mon partenaire, mes enfants et mes collègues de travail. Ce qui donne le tableau suivant:

Les quatre dimensions de la vie

La recherche de l'équilibre

L'équilibre entre ces quatre dimensions n'est pas chose facile. Par exemple, les hommes ont tendance à s'investir dans leur rôle *Professionnel* au détriment de leur rôle de *Partenaire* ou de *Parent*. Quant aux femmes, elles se consacrent souvent exclusivement à leur rôle de *Parent* ou de *Partenaire* au détriment de leur *Profession* et de leur vie *Personnelle*.

Qu'il puisse y avoir des moments dans la vie où l'une ou l'autre de ces dimensions prenne toute la place, il n'y a rien de plus normal. Tout *Parent* sait, par exemple, que l'arrivée d'un enfant perturbe cet équilibre et envahit nos dimensions *Partenaire* et *Privé*. Tout couple débutant investit un temps énorme dans la dimension *Partenaire*.

Chaque personne a la responsabilité de s'assurer que ces *4 P* peuvent se développer de façon harmonieuse afin de pouvoir, à la fin de sa vie, regarder son passé et se dire : mission accomplie et vie bien remplie. Idéalement, nous devrions investir 25 % de notre temps, de nos ressources et de notre énergie dans chacune des «pattes» de notre personnalité pour que notre bouquet puisse resplendir au milieu de la table.

Pour être heureux en couple, chaque partenaire doit prendre la responsabilité de la réussite de ce couple à 100 %, et non seulement à 50 %.

L'intelligence émotionnelle conjugale

Nous possédons trois cerveaux : le premier, reptilien, ressent ; c'est notre cerveau primitif. Le deuxième, mammalien, s'émeut ; c'est notre système limbique. Le troisième, que nous partageons avec les primates, pense et prend conscience des sensations du premier, des émotions du deuxième et des pensées du troisième ; c'est notre néocortex.

Le cerveau primitif assure notre survie physique ; le système limbique gère nos fonctions physiologiques et nos émotions ; le néocortex, quant à lui, nous permet non seulement d'évaluer nos sensations et de contrôler nos réactions émotives, mais nous offre également de nombreuses possibilités : planification à long terme, imagination, création artistique, amour, sens éthique, sociabilité, etc. Seul l'être humain semble doté de ces extraordinaires facultés, du moins aussi développées.

L'intelligence émotionnelle

Comme notre cerveau pensant s'est structuré à partir du cerveau émotionnel, nul doute que les émotions possèdent une forte influence sur nos pensées, sur nos attitudes et sur nos comportements. L'intelligence émotionnelle consiste essentiellement en la capacité de ne pas laisser les sensations et les émotions du premier et deuxième cerveau envahir les pensées du troisième cerveau et ainsi diriger notre vie sans que notre raison intervienne.

Nos émotions sont des réactions qui nous renseignent sur notre état physique et sur l'état de satisfaction ou d'insatisfaction. Ces réactions sont généralement très fortes (comme dans le coup de foudre), impulsives, passionnées mais très souvent illogiques (comme dans les phobies). Notre cerveau pensant, lui, est plus pondéré, réfléchi, logique. C'est lui qui, finalement, analyse la réalité et prend ou devrait prendre une décision d'action ou de réaction.

L'intelligence émotionnelle n'égale pas répression, mais utilisation efficace des sensations et des émotions générées par nos deux autres cerveaux.

Les couples et les cerveaux

Toute relation amoureuse implique nos trois cerveaux. L'attirance sexuelle relève de notre cerveau reptilien ; la passion, de notre cerveau mammalien ; et l'amour, du néocortex. L'intelligence émotionnelle fera en sorte que nous investirons davantage dans une relation harmonieuse à long terme plutôt que dans la recherche de plaisirs intenses mais éphémères, ou dans les plaisirs de relations multiples.

L'expression verbale ou physique d'une émotion trace dans le cerveau des «sentiers neurologiques» facilitant l'expression de l'émotion en question[29]. Les pleurs, manifestation de la tristesse, stimulent certains neurones et les rendent plus sensibles. Les personnes tristes pleurent de plus en plus spontanément et facilement. Il en va de même pour la colère, la peur ou la culpabilité.

Heureusement, ce qui est vrai pour les émotions dites négatives l'est aussi pour les émotions positives : la joie, l'enthousiasme, l'ad-

---

29. Stefan Klein, *Apprendre à être heureux. La neurobiologie du bonheur*, Paris, Robert Laffont, 2002

miration, l'amour, etc. L'expression répétée des émotions positives facilite l'expression d'émotions positives, comme l'exercice d'un instrument en facilite l'apprentissage. Le premier «Je t'aime» est le plus difficile à dire ; le centième se dit plus spontanément et rend plus aimable la personne à qui on le dit.

Heureux ou malheureux ?

Avez-vous remarqué comment certaines personnes sont énergivores et d'autres énergisantes? Les couples malheureux, inconsciemment et involontairement, entretiennent des sensations, des émotions et des pensées négatives qui grugent leur énergie à l'inverse des couples heureux qui, dans un cercle harmonieux et non vicieux, encouragent l'expression de sensations, d'émotions et de pensées positives, ce qui leur donne de l'énergie.

Chacun d'entre nous a le choix entre l'expression de sentiments positifs ou l'expression de sentiments négatifs. Contrairement à une certaine croyance psychologique, le fait de ravaler ses paroles ne donne pas d'ulcères. Toute thérapie conjugale devrait enseigner aux couples à développer leur intelligence émotionnelle par le partage de sensations agréables, l'expression d'émotions positives et l'échange de pensées heureuses.

J'encourage les couples qui viennent me voir à se rappeler les plus beaux souvenirs de leur histoire conjugale et à planifier des projets à court, à moyen et à long termes. Un couple heureux se construit sur ce qui va bien, non en mettant l'accent sur ce qui va mal dans une tentative, souvent futile, d'améliorer ce qui va mal.

 Les couples heureux arrosent les fleurs, non les mauvaises herbes.

Chronique 51

La fonction paternelle

La première fête des Pères a été célébrée à Spokane, dans l'État de Washington, le 19 juin 1910. C'est Sonora Smart Dodd qui en a eu l'idée; elle a été élevée, ainsi que ses cinq frères et sœurs, par son père Henry Jackson Smart à la suite de la mort de leur mère.

L'idée d'une fête nationale et annuelle des pères a fait son chemin, mais ce n'est qu'en 1966 qu'elle est devenue officielle aux États-Unis et plus tard au Québec (je n'ai pas trouvé la date exacte). La première fête des Mères remonte à la Grèce antique. Il existe une fête des grands-mères depuis 1987 en France et une fête des grands-pères seulement depuis 2008. Le Québec tarde à se mettre à jour de ce côté-là.

L'implication des pères

Dans un contexte social où de plus en plus de pères veulent s'impliquer dans l'éducation de leurs enfants, il serait peut-être bon de se poser la question: En quoi consiste réellement la fonction paternelle? En quoi sa fonction est-elle complémentaire à la fonction maternelle? Aucune mère, malgré sa bonne volonté, ne peut «paterner» ses enfants; elle ne peut remplir que *sa* fonction maternelle. Il en va de même pour l'homme.

La fonction maternelle est d'abord une fonction de matrice, de source nourricière, d'enveloppe, de réceptacle de vie, de rétention.

La bonne mère représente l'abri, la sécurité, la protection, la chaleur, l'affection, la fusion, la compréhension, etc. Pour les psychanalystes, elle représente l'amour. La fonction du père en est une de séparation, d'expulsion du sein maternel, de distinction, de différenciation. Le bon père doit éduquer ses enfants dans le sens étymologique du mot «*educare*» : montrer le chemin.

La fonction du père est de séparer l'enfant de la mère. Il doit s'interposer entre deux pour permettre à l'enfant de développer son identité en dehors de la symbiose maternelle et rappeler à la mère qu'elle est également une femme, une amante, un être de plaisir, non seulement un être de devoir généreux. Si la mère représente l'amour fusionnel, le père exprime les limites, les frontières, la séparation psychologique ; la Loi, disent les psychanalystes.

L'enfant apprend, par sa mère, qu'il est au centre de l'univers, de son univers ; il doit apprendre, par son père, qu'il existe d'autres univers avec lesquels il devra collaborer pour survivre et s'épanouir.

Les choix du père

L'homme devenu père se trouve face à un choix que l'on peut présenter de différentes façons :

- Il délègue toutes ses responsabilités à la mère et lui laisse tout le pouvoir parental, ou bien il s'approprie la partie du pouvoir qui lui revient et fait partie intégrante du triangle familial ;
- Il reste le pourvoyeur qu'il a été depuis le début de l'humanité, ou bien il s'implique en plus sur les plans relationnel et émotif pour éviter d'être le père manquant à l'origine des enfants manqués parce qu'ils ont eu trop de mère et pas assez de père ;
- Il démissionne et ne sert que d'épouvantail au service de la mère (Bonhomme Sept Heures ou Père Fouettard), ou bien il se tient debout et s'affirme pour remplir sa fonction paternelle.

Les études faites sur la paternité l'ont surtout été autour des quatre paradigmes négatifs suivants : la passivité, l'absence, la violence et l'abus[30]. On s'est plutôt penché sur les conséquences de l'absence ou de la passivité du père et sur les effets négatifs des abus de pouvoir paternels. Il serait temps d'étudier la paternité pour elle-même : ses caractéristiques intrinsèques, ses apports à l'éducation et à l'évolution des enfants ainsi que les façons de mieux l'exercer.

 Un enfant qui manque de père finit par manquer de repères.

---

30. Pour en savoir davantage sur le processus de déliaison père-enfant, consultez les nombreux écrits du sociologue Germain Dulac dont vous trouverez la liste à http://fr.wikipedia.org/wiki/Germain_Dulac (page consultée en février 2010).

Le couple et les vacances

À la question : « À quand remonte la dernière fois où vous avez pris des vacances sans enfants et loin de vos préoccupations quotidiennes ? », j'obtiens de la majorité des couples en difficulté qui me consultent la réponse suivante : « Depuis que nous avons les enfants, nous avons toujours pris nos vacances en famille. »

Il est vrai que les enfants sont le fruit de notre amour et que nous devons nous en occuper. Mais la base de la famille, c'est le couple. Le fait de le négliger augmentera la distance entre les deux partenaires et finira par nuire à l'atmosphère familiale.

Les vacances et le désir

Si l'on n'accorde pas à notre couple des moments de liberté, des moments où l'on peut retrouver les amoureux du début, il est évident que l'amour et la libido risquent de diminuer, parfois de façon brutale, hypothéquant ainsi l'harmonie conjugale et familiale. Le fait de prendre une ou deux semaines pour partir dans le Sud, aller en croisière ou tout simplement se retrouver à l'hôtel loin des tâches quotidiennes est, à mon avis, essentiel pour assurer la survie du désir amoureux et sexuel d'un couple.

Pour les parents qui se sentiraient coupables d'abandonner leurs enfants, dites-vous qu'ils ont eux aussi besoin de prendre des vacances loin de leurs parents et qu'ils seront sûrement contents de les retrouver à leur retour. Leur ennui leur fera prendre conscience de votre importance auprès d'eux.

Je connais plusieurs couples qui, après quelques jours de repos sur une plage ensoleillée, ont senti renaître leur sentiment amoureux et leurs désirs réciproques : ils se sont retrouvés parce qu'ils ont pu vivre et échanger dans un cadre relaxant. Ils ont rechargé leurs batteries et leur complicité conjugale s'est renforcée.

Les vacances en solitaire

Je pose une autre question aux couples qui me consultent : « Depuis combien de temps avez-vous pris des vacances sans votre partenaire, pour vous retrouver avec vous-même ? » Là aussi, la réponse est la même : « Pas depuis que nous sommes mariés ! » Je sens bien la réticence, pour ne pas dire les peurs, que plusieurs couples ont face à cette possibilité de prendre des vacances sans l'autre. Comme si le fait d'être marié impliquait l'abandon de projets personnels.

La présence quotidienne, hebdomadaire, annuelle de l'être aimé porte en soi le germe de la destruction du désir de l'autre. C'est un paradoxe amoureux : la satisfaction du désir tue le désir de l'autre, au même titre que le fait de manger tue la faim. Le couple doit donc apprendre à entretenir ce désir en créant une certaine distance entre eux, comme peut le faire une période personnelle de vacances, que ce soit pour aller à la pêche, visiter une copine éloignée ou faire l'escalade du Kilimandjaro.

Le fait de prendre des vacances sans son partenaire permet de faire un bilan de sa vie personnelle et de sa vie à deux. Est-ce que l'absence de mon partenaire stimule mon désir de le retrouver ? Est-ce que je m'ennuie, amoureusement et physiquement, de l'autre ?

Évidemment, si vous vous rendez compte que vous êtes mieux seul, la conclusion sera très différente. La peur de cette conclusion explique probablement la réticence de plusieurs devant la possibilité de prendre des vacances pour soi.

Généralement, du moins pour les couples en thérapie qui ont pris ce risque, plusieurs ont senti le vide créé par l'absence de leur partenaire et les quelques nuits qui ont suivi le retour des vacances ont été très chaudes. Ils ont aussi pris conscience qu'ils tenaient réellement l'un à l'autre et ont pu, par la suite, utiliser ces deux stratégies de vacances pour entretenir leur désir et leur amour réciproques.

Bons voyages!

Conclusion

Il est facile, au restaurant par exemple, de différencier les vieux couples qui s'aiment de ceux qui se sont fait la guerre et ne parviennent plus à communiquer. Les couples heureux se touchent, se regardent, se parlent; leurs yeux sont pétillants; ils sont animés. Ils respirent l'harmonie et la paix et deviennent, pour nous, des modèles prouvant que la vie à deux est possible à long terme, malgré tout.

Ces couples, souvent à la retraite, voyagent, s'impliquent socialement, font du travail bénévole ou sont tout simplement prêts à partager leur bonheur avec leurs enfants, leurs petits-enfants, leur entourage immédiat et lointain. Ils font preuve d'une très grande réceptivité, ayant été, en dépit des épreuves inévitables de la vie, comblés par celle-ci. Ils deviennent des modèles à imiter et sont souvent des modèles enviés.

À l'inverse, il est tout aussi facile de reconnaître, toujours au restaurant, les couples qui en sont encore à l'étape de la passion : ils ont l'air seuls au monde et n'ont de regards que pour eux. Quant aux couples malheureux, ils échangent à peine quelques propos : l'homme lit souvent un journal ou jette des regards tout autour; la femme, tête baissée, regarde son mari par en dessous, espérant qu'il s'intéresse à elle, et elle lui en veut de ne pas le faire. La tension entre les deux est évidente et palpable.

Les vieux couples heureux ont l'air d'avoir beaucoup de plaisir à être ensemble malgré les épreuves qu'ils ont traversées, ou grâce à elles. Ils sont des exemples vivants qu'il est possible de persévérer et de surmonter les crises existentielles du couple. Ils démontrent aussi que l'amour peut évoluer, se transformer et rester solide. Ils nous disent que la vie à deux demeure encore la meilleure façon de la vivre.

J'espère que la lecture de ces chroniques vous aidera à faire partie des couples heureux et aidera vos enfants à suivre vos traces.

Liste des tableaux

Bibliographie

BATESON, Gregory. *La nature et la pensée*, Paris, Seuil, 1984.

BRIZENDINE, Louann. *Les secrets du cerveau féminin*, Paris, Grasset, 2008.

DALLAIRE, Yvon. *Guérir d'un chagrin d'amour*, Genève, Jouvence, 2008.

DALLAIRE, Yvon. *Les illusions de l'infidélité*, Genève, Jouvence, 2008.

DALPÉ, Yves. *L'infidélité n'est jamais banale*, Montréal, Éditions Quebecor, 2006.

DELIS et PHILLIPS. *Le paradoxe de la passion*, Paris, Éditions Robert Laffont, 1998.

DOYLE, Laura. *The Surrendered Woman : A Practical Guide to Finding Intimacy, Passion and Peace With a Man*, New York, Fireside Ed., Simon & Shuster Inc., 1999.

GIROUX, Michel. *Psychologie des gens heureux*, Montréal, Éditions Quebecor, 2005.

GOTTMAN, John et SILVER, Nan. *Les couples heureux ont leurs secrets, Les 7 lois de la réussite*, Paris, Éditions JC Lattès, 1999.

HITE, Shere. *Le nouveau rapport Hite*, Paris, J'ai lu, 2002.

KIMURA, Dorenn. *Cerveau d'homme, cerveau de femme*, Paris, Éditions Odile Jacob, 2001.

KLEIN, Stefan. *Apprendre à être heureux. La neurobiologie du bonheur*, Paris, Éditions Robert Laffont, 2002.

LANGIS, Pierre, GERMAIN, Bernard, *et al. La sexualité humaine*, Montréal, Éditions ERPI, 2009.

NAZARE-AGA, Isabelle. *Les manipulateurs et l'amour*, Montréal, Éditions de l'Homme, 2000.

SAINT-PÈRE, François. *L'infidélité. Mythes, réalités et conseils pour y survivre*, Montréal, Libre Expression, 2006.

SALOMÉ, Jacques. *Parle-moi! J'ai des choses à te dire,* Montréal, Éditions de l'Homme, 2004.

SYKES, Bryan. *La malédiction d'Adam. Un futur sans homme*, Paris, Albin Michel, 2004.

TANEMBAUM, Joe. *Découvrir nos différences entre l'homme et la femme*, Montréal, Éditions Quebecor, 1992.

TORRENT, Sophie. *L'homme battu. Un tabou au cœur du tabou*, Québec, Option Santé, 2002.

WERBER, Bernard. *Encyclopédie du savoir relatif et absolu*, Paris, Albin Michel, 2000.

Sommaire

Achevé d'imprimer au Canada
sur papier Enviro 100 % recyclé
sur les presses de Imprimerie Lebonfon Inc.

certifié   procédé   100 % post-   archives   énergie
sans   consommation   permanentes   biogaz
chlore